HACHETTE VACANCES

du CE1
au CE2

Marie-Rose Guillouard

Josette Chamblas
Ninon Rame
Philippe Simon

Collection dirigée par Ann Rocard

HACHETTE
Éducation

Crédits photographiques

P. 10 a. C. Nardin / JACANA. b. Cauchoix / PIX. c. Frey / PIX.
d. M. Viard / JACANA.

P. 18 a. et b. Photos prêtées par G. Étlicher. c. Riby / PIX.
d. Collection particulière. J.-L. CHARMET.

P. 28 a. Brian Bailey / VANDYSTADT. b. V. Levannier / PIX.
c. G. Philippart de Foy / EXPLORER.

P. 36 a. M. Marcou / PIX. b. Photothèque HACHETTE. c. PIX.
d. Photothèque HACHETTE.

P. 46 a. J.-M. Labat / JACANA. b. Elisabeth Lemoine / JACANA. c. BAILLET.
d. BAILLET.

P. 54 a. Jean Vertut. b. Jean Vertut. c. PROD.

Conception graphique et mise en page : Évelyn Audureau / STRATUS

Couverture : INSOLENCRE et GRAPHIR

Les illustrations de cet ouvrage ont été réalisées par Catherine Dieudonné, avec
la collaboration de Rémi Picard pour les dessins techniques.

I.S.B.N. 2 01 016632 9
© Hachette 1991

Imprimé en France par BRODARD GRAPHIQUE - Coulommiers - OHA/7969/2
Dépôt légal n° 2616-03-1991 - Collection n° 60 - Édition n° 01

16/6084/4

Avant-propos

L'année scolaire est terminée. Votre enfant a besoin de penser à autre chose qu'à l'école. Il veut s'amuser, jouer, courir, se reposer... Quoi de plus normal ?

Mais en deux mois, on oublie beaucoup. De courtes révisions et un entraînement régulier sont donc nécessaires, pour « aborder » le CE2 avec plus de facilité.

Hachette Vacances est une collection de « livres » de vacances, conformes aux programmes scolaires et réalisés par une équipe de pédagogues et d'enseignants.

Votre enfant y trouvera :

• des **exercices de français et de mathématiques.** Ils lui permettront de réviser les notions étudiées durant l'année scolaire. Des rappels de ces notions (en marge de chaque exercice) faciliteront son travail.

• des **lectures complètes** (il ne s'agit pas d'extraits) **et variées :** récits, nouvelles, poèmes, sketches...

• des **dossiers passionnants.** Agrémentés de nombreuses photos, ils traitent de sujets divers (histoire, géographie, sciences, actualité...), toujours liés à des situations de vacances (monuments à visiter, phénomènes naturels à observer...).

• des **bilans.** Votre enfant pourra constamment s'autoévaluer.

• des **pages récréatives** (découverte de l'environnement, bricolage, jeux...). Le livre de vacances devient ainsi un livre-souvenir, le livre d'un été que votre enfant gardera et réouvrira avec plaisir... et pourquoi pas, apportera en classe comme signe d'une heureuse continuité entre les vacances et l'école.

Bonnes vacances !

Matériel nécessaire :

Crayons, Bics, feutres, ciseaux, règle, gomme, colle, etc., si possible un dictionnaire et éventuellement une calculette.

Présentation du livre à l'enfant

Au mois de septembre, tu seras au CE2. Ton livre de vacances va t'aider à faire une très bonne rentrée, après les grandes vacances. Nous sommes sûrs qu'il te plaira beaucoup. Tu y trouveras de très belles histoires, des exercices, des dossiers passionnants, des bilans pour mieux savoir où tu en es et des pages « vive les vacances » pleines d'idées pour l'été.

Essaie de travailler un peu chaque jour (si possible à la même heure). Dans les pages de mathématiques et de français, nous avons noté les règles et les exemples qui te permettront de faire très facilement les exercices.

Prépare le matériel dont tu auras besoin :
crayons, Bics, feutres, ciseaux, règle, gomme, colle, etc., si possible un dictionnaire et éventuellement une calculette.

À la fin du cahier se trouvent des corrigés et des conseils pour les grandes personnes qui pourront t'aider pendant l'été.

L'équipe Hachette Vacances

Bonnes vacances, bon courage et bonne rentrée au CE2.

Sommaire

1

- **Histoires drôles**
- **La phrase**
- **L'addition**
- **Des plantes extraordinaires**

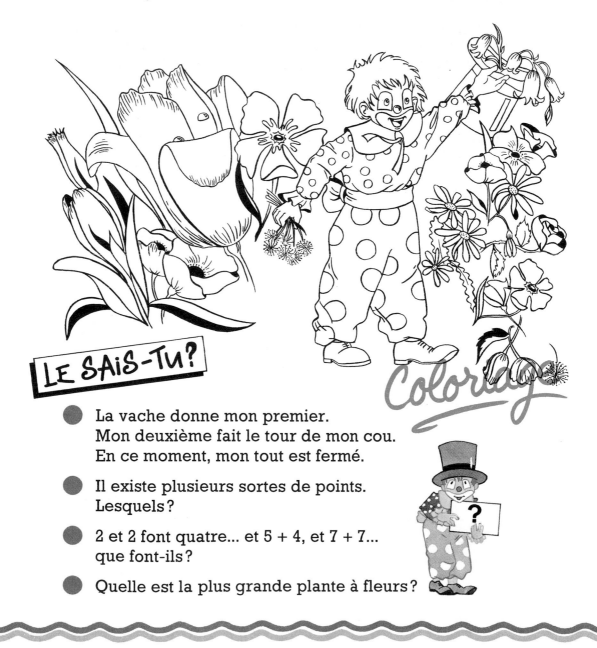

LE SAIS-TU?

- La vache donne mon premier.
  Mon deuxième fait le tour de mon cou.
  En ce moment, mon tout est fermé.

- Il existe plusieurs sortes de points.
  Lesquels?

- 2 et 2 font quatre... et 5 + 4, et 7 + 7...
  que font-ils?

- Quelle est la plus grande plante à fleurs?

LECTURE

Histoires drôles

Une petite fille revient de l'école :
– Maman, emmène-moi chez le docteur, le maître m'a dit de soigner mon écriture.

Deux tulipes bavardent.
Soudain, une jacinthe
se mêle à leur conversation.
Les tulipes en colère s'exclament :
« Occupe-toi de tes oignons ! »

Deux hommes discutent :
– Tout le monde devrait dormir la fenêtre ouverte...
– Vous êtes médecin ?
– Non, cambrioleur...

Entoure en bleu l'histoire que tu préfères.

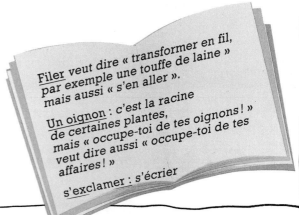

Filer veut dire « transformer en fil », par exemple une touffe de laine » mais aussi « s'en aller ».

Un oignon : c'est la racine de certaines plantes, mais « occupe-toi de tes oignons ! » veut dire aussi « occupe-toi de tes affaires ! »

s'exclamer : s'écrier

1 Le coin des devinettes

Dans ce bouquet se cachent deux fleurs de l'une des histoires drôles.
Colorie-les et écris leur nom :

_____

_____

2 Le jeu des erreurs

Que disent exactement les tulipes ?
Colorie la bonne bulle :

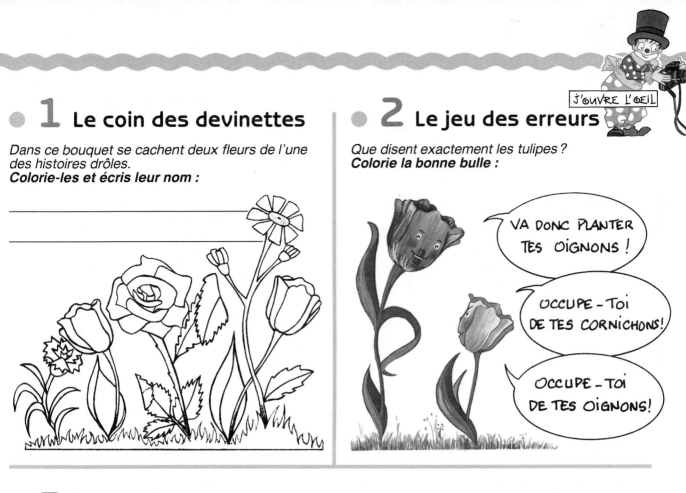

VA DONC PLANTER TES OIGNONS !

OCCUPE-TOI DE TES CORNICHONS!

OCCUPE-TOI DE TES OIGNONS!

3 La bonne phrase

Remets les étiquettes dans l'ordre et écris la phrase que tu auras trouvée :

soigner	de	mon	dit	écriture	m'a	maître	le

_____

4 Mots croisés

Regarde les petits dessins et écris les noms correspondants dans les cases.
Suis bien le sens de la flèche.
(Les mots sont dans les histoires drôles.)

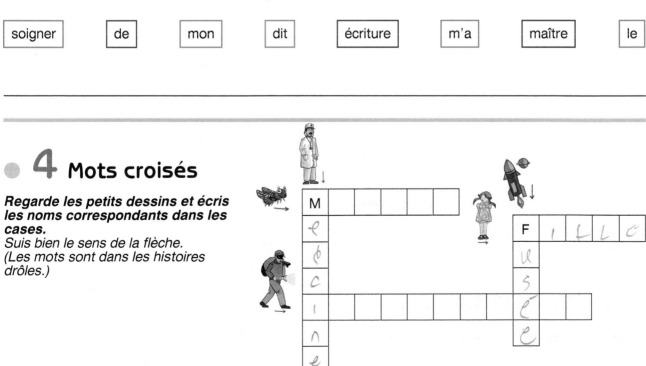

M

e
b
c
i
n
e

F i l l e
u
s
é
e

La phrase

La phrase :

Une phrase commence toujours par une lettre majuscule et finit par un point.

Il existe plusieurs sortes de points :

. Le point :
il termine les phrases affirmatives et négatives.
Phrase affirmative :
Deux tulipes bavardent.

Phrase négative :
Il n'y a pas eu de neige.

? Le point d'interrogation :
il termine la phrase quand on pose une question.
Phrase interrogative :
As-tu passé un bon hiver ?

! Le point d'exclamation :
il termine la phrase quand on parle fort, quand on s'exclame.
Phrase exclamative :
C'est dommage !

1 *Dans le texte, souligne en :*
_____ *les phrases affirmatives ou négatives ;*
_____ *les phrases interrogatives ;*
_____ *les phrases exclamatives.*

Deux tulipes bavardent.
– As-tu passé un bon hiver ? demande la tulipe jaune.
– Il n'y a pas eu de neige. C'est dommage ! répond l'autre.
Soudain, une jacinthe se mêle à leur conversation.
– Bonjour mesdames ! Comment allez-vous ? Sans neige, la terre était très dure. Je ne pouvais pas sortir.

2 *Décris chaque image en utilisant une phrase néga-tive :*

ex : **A.** Cet homme est médecin. *Cet homme n'est pas médecin.*

B. La grenouille dit « comment ».

_____

C. La tulipe pousse en hiver.

_____

D. La fenêtre est ouverte.

_____

3 *Pose deux questions sur les grenouilles :*

ex : Est-ce qu'une grenouille pousse des cris ?

_____

L'addition

L'addition :

- On fait une addition quand on met ensemble, quand on ajoute, quand on cherche un total, quand on fait **une somme.**
- Pour faire une addition, on utilise le signe +.
  ex : 3 + 4 = 7
- Le résultat d'une addition s'appelle **la somme.**
- Dans une addition, on peut changer l'ordre des termes :
  3 + 4 = 7
  ou 4 + 3 = 7

L'addition avec retenue :

46 + 36 = ...

①46
+ 36
82

6 + 6 = 12
Je pose 2 dans la colonne des unités et je retiens ① dans la colonne des dizaines.
1 + 4 + 3 = 8
Je pose 8 dans la colonne des dizaines.

Le tableau à double entrée

Pour compléter un tableau à double entrée, on suit une ligne et une colonne. À l'intersection se trouve la case cherchée.

1 **Problème.** *Pour l'anniversaire de Ludovic, son père lui donne 30 F, sa tante 25 F et sa grand-mère 50 F.*

- *Quelle somme a-t-il reçue ?*

Calcule : _____

Réponds : _____

- *Avec cette somme, peut-il s'acheter un robot à 48 F et un ballon à 45 F ?*

Calcule : _____

Réponds : _____

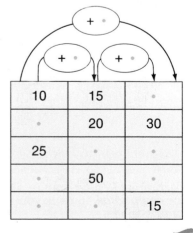

2 *Calcule :*

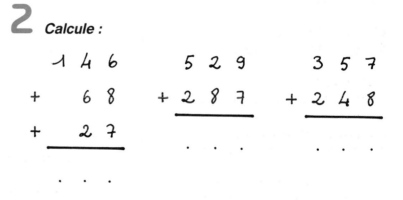

```
    1 4 6        5 2 9        3 5 7
  +   6 8      + 2 8 7      + 2 4 8
  +   2 7      _____      _____
  _____      . . .        . . .
  . . .
```

3 *Complète les tableaux :*

+	7	4	·	·
8	·	·	·	·
·	12	·	·	·
6	·	·	12	·
10	·	·	·	10

	+ ·		
10	15	·
·	20	30
25	·	·
·	50	·
·	·	15

Des plantes extraordinaires

Là où tu passes tes vacances, il y a sûrement des plantes. Connais-tu leurs noms?

Regarde les photos de ces plantes curieuses que le clown Kicétou a prises.

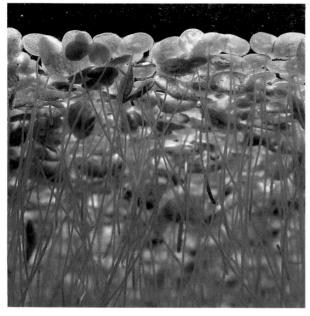

Voici la plus petite plante à fleurs : la lentille d'eau.

L'arbre est la plus grande plante à fleurs. Sur ces photos, tu peux voir un pêcher au printemps.

L'edelweiss pousse en haute montagne. C'est une fleur protégée : il ne faut pas la cueillir!

Certaines plantes tuent et mangent des animaux : elles sont carnivores. C'est le cas de la droséra que tu peux voir sur cette photo.
Ces plantes se développent souvent sur des sols pauvres : des marais ou des tourbières.

La plante est vivante. Comme les êtres humains ou les animaux, les plantes naissent, se nourrissent, se développent, se reproduisent et meurent.

Pour se développer, les plantes ont besoin de lumière, d'eau, de terre, de chaleur. Elles sont fragiles. Elles n'aiment pas avoir trop chaud, ni trop froid. Elles n'aiment pas non plus manquer d'eau ou être trop arrosées.

Le cycle de la vie.

① La graine germe. Les racines se développent pour puiser la nourriture dans la terre.

② Une tige et des feuilles poussent. Puis la plante fleurit.

③ Quand les fleurs se fanent, des fruits mûrissent. Ces fruits contiennent des graines qui germeront à leur tour.

● 1 De quoi la plante a-t-elle besoin ?

Regarde le dessin et complète la grille.

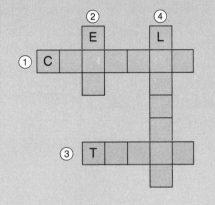

● 2 Deviens toi aussi jardinier :

Comment procéder ?
Dépose le coton humide dans la coquille d'œuf vidée. Pose des graines sur le coton et surveille.

Observe tes plantations et écris tes résultats sur une feuille de papier. Dessine les plantes que tu as obtenues.

Bilan

Si tu as bien répondu,
dessine une tête qui sourit.
Si tu n'as pas trouvé,
dessine une tête sérieuse.

☺	☹

Lecture

Complète en relisant les histoires drôles :

Deux tulipes bavardent. Soudain, une _____
se mêle à leur conversation.

Tout le monde devrait dormir la fenêtre _____

Français

Je ne pouvais pas sortir.

C'est une phrase _____

As-tu passé un bon hiver ?

C'est une phrase _____

C'est dommage !

C'est une phrase _____

Mathématiques

Pour faire une addition, on utilise le signe _____

54 + 46 = 100

C'est une addition qui sert à calculer une _____

Calcule :

158 + 36 + 7 = _____

Découvertes

Pour se développer, une plante a besoin de quatre choses. Lesquelles ?

_____

Quelle est la plus petite plante à fleurs ? _____

Pour indiquer ton score, calcule le nombre de
têtes qui sourient que tu as obtenues.

Total sur 10 : _____

Si tu as 8, 9 ou 10 ☺ : tu es très fort !

Si tu as 3, 4, 5, 6 ou 7 ☺ : bravo !

Si tu n'as que 1 ou 2 ☺ : réfléchis un petit peu plus et revois les pages
précédentes.

Sommaire

- Conte : La sorcière Bistokère
- Le verbe
- La multiplication
- Quand tes grands-parents étaient enfants

Coloriage

LE SAIS-TU?

- Ce n'est pas une sorcière...
  C'est une fée que les enfants n'aiment pas !

- Dis deux verbes et mime ce qu'ils signifient.

- Quelle opération dois-tu faire pour calculer :
  6 + 6 + 6 + 6 + 6 + 6 ?

- Quand tes grands-parents étaient enfants,
  regardaient-ils souvent la télévision ?

La sorcière Bistokère

1

Ce matin, Petit-Pierre s'en va à l'école. En chemin, il grimpe au sommet du gros poirier pour y manger une poire.

À ce moment-là, une voix retentit :
« Petit-Pierre ! Petit-Pierre ! C'est moi Bistokère ! Descends de ton arbre et donne-moi une poire entière ! »
Mais Petit-Pierre sait bien que la sorcière veut le croquer tout cru.
Alors il détache une poire et il la lui jette sur la tête.

2

La sorcière plisse les yeux et elle dit une deuxième fois :
« Petit-Pierre ! Petit-Pierre ! C'est moi Bistokère ! Descends de ton arbre et donne-moi une poire entière ! »
Le petit garçon cueille une deuxième poire et il la lance sur les pieds de l'affreuse sorcière.

3

Bistokère grince des dents et elle répète d'une grosse voix :
« Descends de ton arbre et donne-moi une poire entière ! Gare à toi : si tu n'obéis pas, je vais grimper jusqu'à toi ! »

Petit-Pierre hésite un instant, puis il saute de l'arbre et il tend une poire à la sorcière.
Celle-ci ouvre son sac et elle y fourre, d'un seul coup, le fruit et le petit garçon.
Zip ! Elle ferme le sac avec une corde et elle le met sur son épaule.
Voilà Petit-Pierre bien attrapé !

D'après Ann Rocard,
Le Grand Livre des petites histoires.
Éd. Lito.

Que va devenir Petit-Pierre ? La sorcière va-t-elle le manger ? Lis vite la suite p. 62

Détacher un fruit : cueillir un fruit

Il hésite : Il ne sait pas ce qu'il doit faire.

Un instant : un moment

14

1 Le coin des devinettes

Relie les lettres de l'alphabet :

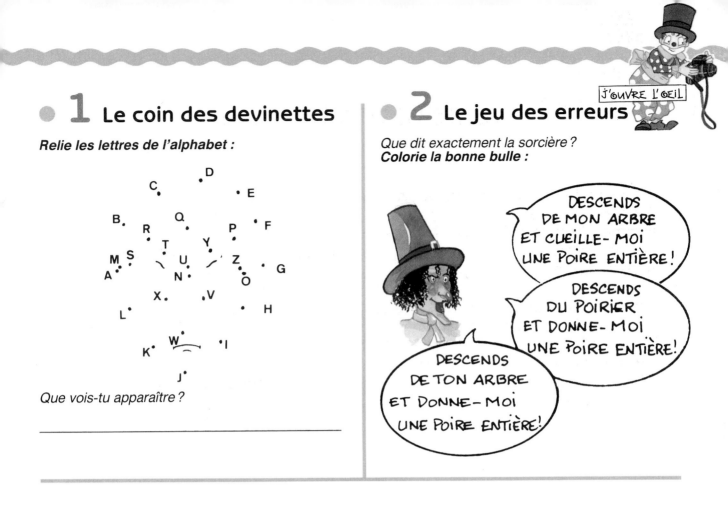

Que vois-tu apparaître ?

_____

2 Le jeu des erreurs

Que dit exactement la sorcière ?
Colorie la bonne bulle :

DESCENDS DE MON ARBRE ET CUEILLE-MOI UNE POIRE ENTIÈRE !

DESCENDS DU POIRIER ET DONNE-MOI UNE POIRE ENTIÈRE !

DESCENDS DE TON ARBRE ET DONNE-MOI UNE POIRE ENTIÈRE !

3 La bonne phrase   *Complète les phrases :*

Mais Petit-Pierre _____ bien que la _____ veut

le _____ tout _____ . Alors il _____

une _____ et il la lui _____ sur la _____ .

4 Mots croisés

Regarde les petits dessins et écris les noms correspondants dans les cases.
Suis bien le sens de la flèche.

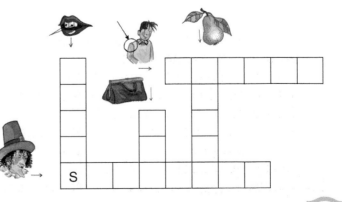

Le verbe

Le verbe

Dans presque toutes les phrases, il y a un verbe.

Le verbe indique :

- **ce qu'on fait**
  Petit-Pierre <u>mange</u> une poire.

- **ce qu'on a**
  La sorcière <u>a</u> une grosse voix.

- **comment on est**
  Bistokère <u>est</u> affreuse.

Le verbe indique très souvent une action.
Que fait Petit-Pierre ?
Il mange.

Dans les phrases, le verbe est conjugué : il change de forme.

- être :
  je suis - tu es - il est...

- avoir :
  j'ai - tu as - il a...

- manger :
  je mange - tu manges - il mange...

1 *Dans ces phrases, souligne le verbe en rouge :*

ex : Petit-Pierre <u>grimpe</u> au sommet du poirier.

- Mon petit frère fait des bêtises.
- Ils vont à l'école.
- Nous venons avec toi au cinéma.
- Tu prends ton goûter.
- Elle dit merci.

2 *Décris chaque image par une phrase :*

ex : **A.** Petit-Pierre mange une poire.

B. Le petit garçon _____

C. Petit-Pierre _____

D. La sorcière _____

3 *Complète les phrases en conjuguant les verbes entre parenthèses :*

ex : (être) Je *suis* drôle.

(faire) Je _____ rire les enfants.

(avoir) J'_____ un nez rouge.

(marcher) Je _____ de travers.

(dire) Je _____ des bêtises.

(être) Je _____ ton ami.

Qui suis-je ?
Dessine-moi dans le cadre :

La multiplication

La multiplication

- On fait une multiplication quand on doit compter beaucoup d'objets rangés par quantités égales.
- La multiplication permet de trouver le résultat plus rapidement qu'avec une addition. Ce résultat s'appelle **un produit.**

  $ex :$ $8 + 8 + 8 + 8 + 8 = 40$

  $8 \times 5 = 40$
- Pour faire une multiplication, on utilise le signe $\times$.
- Dans une multiplication, on peut changer l'ordre des termes (8×5 ou 5×8).

La table de multiplication

$\times$	1	2	3	4	5	6	7	8	9
1	1	2	3	4	5	6	7	8	9
2	2	4	6	8	10	12	14	16	18
3	3	6	9	12	15	18	21	24	27
4	4	8	12	16	20	24	28	32	36
5	5	10	15	20	25	30	35	40	45
6	6	12	18	24	30	36	42	48	54
7	7	14	21	28	35	42	49	56	63
8	8	16	24	32	40	48	56	64	72
9	9	18	27	36	45	54	63	72	81

La multiplication avec retenue

$56 \times 5 = ...$

$6 \times 5 = 30$

$$\begin{array}{r} 56 \\ \times\ 5\ ③ \\ \hline 280 \end{array}$$

Je pose 0 dans la colonne des unités et je retiens ③ dizaines.

$5 \times 5 = 25$

À 25 dizaines, j'ajoute les 3 dizaines retenues, j'écris 28.

---

1 **Problème.** *Pour l'anniversaire de Julie, son père lui donne 40 F, sa tante 40 F, et sa grand-mère 40 F.*

- *Combien d'argent a-t-elle reçu ?*

Calcule avec une addition : _____

Calcule avec une multiplication : _____

Réponds : _____

_____

- *Avec cet argent, peut-elle s'acheter 4 livres à 27 F ?*

Calcule : _____

Réponds : _____

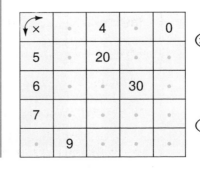

---

2 *Calcule :*

$$\begin{array}{r} 2\ 0\ 8 \\ \times\qquad 4 \\ \hline \cdot\ \cdot\ \cdot \end{array}$$

$$\begin{array}{r} 4\ 7\ 8 \\ \times\qquad 2 \\ \hline \cdot\ \cdot\ \cdot \end{array}$$

$$\begin{array}{r} 1\ 3\ 6 \\ \times\qquad 6 \\ \hline \cdot\ \cdot\ \cdot \end{array}$$

---

3 *Complète les tableaux :*

$\times$	$\cdot$	4	$\cdot$	0
5	$\cdot$	20	$\cdot$	$\cdot$
6	$\cdot$	$\cdot$	30	$\cdot$
7	$\cdot$	$\cdot$	$\cdot$	$\cdot$
$\cdot$	9			

$\times 10$	4	$\cdot$	$\cdot$	9	8
	$\cdot$	30	70	$\cdot$	$\cdot$

$\times$	3	$\cdot$	2	$\cdot$	7
	15	30	$\cdot$	45	$\cdot$

Quand tes grands-parents étaient enfants

Dans une vieille malle de son grenier, Kicétou a trouvé des photos de ses parents, de ses grands-parents et de ses arrière-grands-parents, quand ils étaient enfants.
Comme tout a changé ! Les vêtements, les rues, les moyens de transport, etc.

En 1900, les Français ne vivaient pas comme aujourd'hui : la télévision, la radio, le réfrigérateur, la machine à laver n'existaient pas.

Aujourd'hui, les Français profitent du confort moderne.

Les trains et les avions vont de plus en plus vite.

En 1969, un homme, Neil Amstrong, a marché sur la Lune pour la première fois.

Au bord de la mer

Ces deux photos représentent la plage de Juan-les-Pins. La première a été prise vers 1925, la seconde dans les années 1980. Regarde comme tout a changé ! Tous ces hôtels construits le long de la plage n'existaient pas il y a 60 ans.

● 1 Une carte d'autrefois

Essaie de trouver une carte d'autrefois représentant l'endroit où tu passes tes vacances.

Beaucoup de choses ont-elles changées ? _____

_____

● 2 Voyages au XXᵉ siècle

Recherche ces éléments sur le grand dessin et reporte leurs numéros dans les ronds en suivant l'exemple :

① le pilote   ② l'hélice   ③ le vaisseau spatial   ④ le drapeau américain
⑤ la sonde spatiale   ⑥ la Terre

● 3 Hier et aujourd'hui   *Relie selon le modèle :*

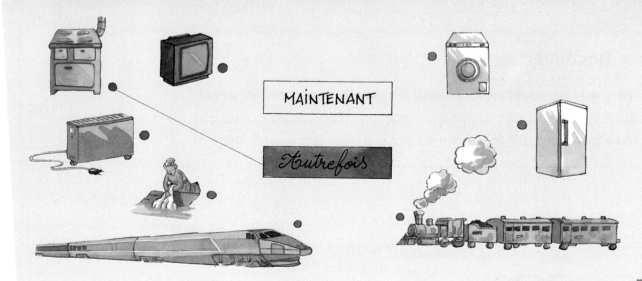

MAINTENANT

Autrefois

Bilan

Lecture

Où Petit-Pierre est-il perché ? _____

Que veut dire : « Il hésite un instant » ?

_____

Français

Petit-Pierre détache une poire.

Dans cette phrase, le verbe indique _____

Bistokère est une affreuse sorcière.

Dans cette phrase, le verbe indique _____

La sorcière a un grand sac.

Dans cette phrase, le verbe indique _____

Mathématiques

Une multiplication sert à calculer un _____
ex : 25 × 4 = 100

Calcule :

5 × 9 = _____

164 × 5 = _____

Découvertes

Est-ce que la télévision existait quand tes grands-parents étaient petits ?

_____

Quand les hommes ont-ils marché sur la Lune, pour la première fois ?

_____

Total sur 10 : _____

Si tu as 8, 9 ou 10 ☺ : tu es très fort !

Si tu as 3, 4, 5, 6 ou 7 ☺ : bravo !

Si tu n'as que 1 ou 2 ☺ : réfléchis un petit peu plus et revois les pages précédentes.

Vive les vacances !

Tu découvres ce qui t'entoure

Colle une carte postale, une photo ou un dessin de l'endroit où tu es pendant les grandes vacances.

L'endroit où tu es s'appelle _____

Entoure quand c'est vrai :

- **Est-ce la première fois que tu viens ici ?**   Oui   -   Non
- **Est-ce que tu aimerais y revenir ?**

  Un peu   -   Beaucoup   -   Pas tellement.

Dis pourquoi _____

_____

_____

● **Quand tu regardes par la fenêtre, que vois-tu ?**

_____

_____

● **Et quand tu te promènes, que vois-tu ?**

_____

_____

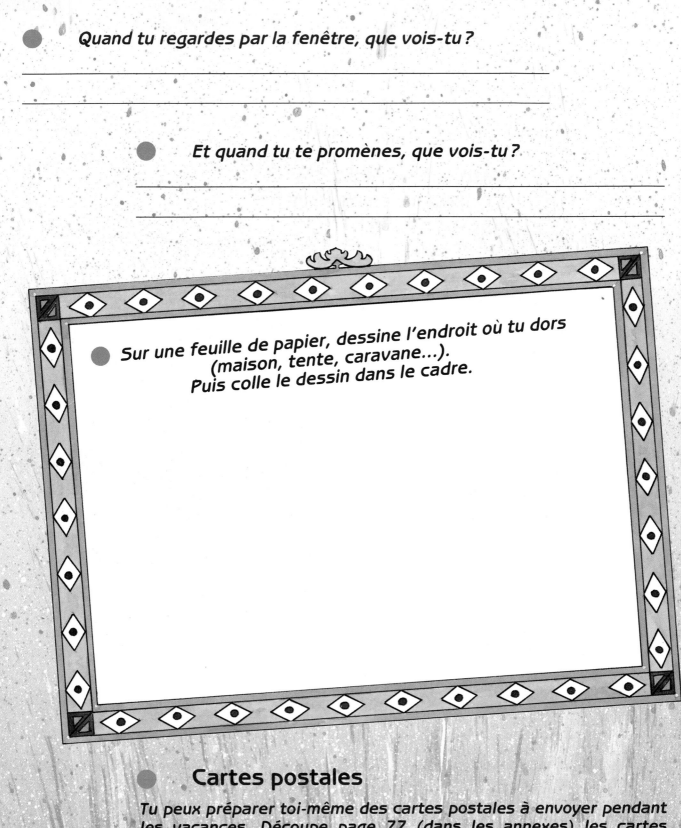

● Sur une feuille de papier, dessine l'endroit où tu dors
(maison, tente, caravane...).
Puis colle le dessin dans le cadre.

● Cartes postales

Tu peux préparer toi-même des cartes postales à envoyer pendant les vacances. Découpe page 77 (dans les annexes) les cartes postales : colle-les sur des cartons blancs de même taille. Décore l'envers des cartons blancs. Puis écris l'adresse et le texte sur chaque carte. À qui vas-tu les envoyer ?

Sommaire

- Poésies et comptines
- Le masculin et le féminin
- La soustraction
- À l'assaut du mont Blanc

3

Coloriage

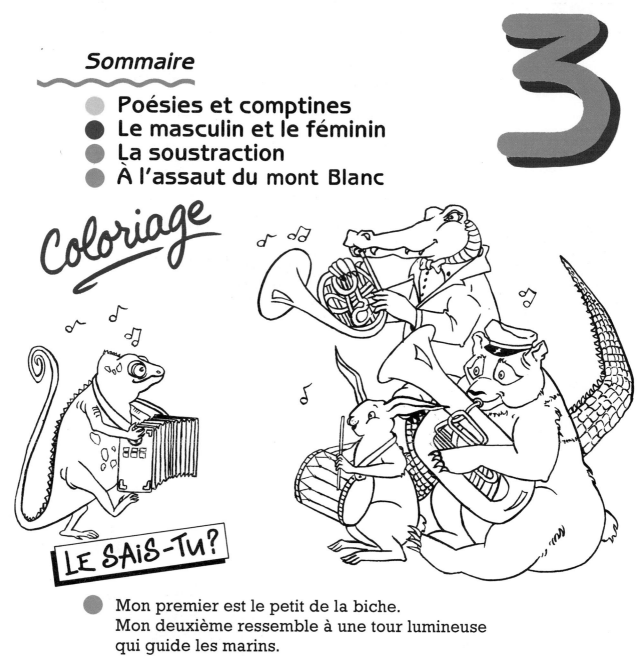

LE SAIS-TU?

● Mon premier est le petit de la biche.
Mon deuxième ressemble à une tour lumineuse
qui guide les marins.
Quand c'est la fête, mon tout fait de la musique.

● Col et colle se prononcent de la même manière.
Lequel est masculin ? Lequel est féminin ?

● Pour faire une soustraction, quel signe utilise-t-on ?

● Quelle est la plus haute montagne d'Europe ?

23

Carabosse

Moi, j'aime Carabosse,
avec sa bosse,
sa peau fripée,
son œil mauvais,
ses dents pointues,
ses doigts crochus...

Elle fait du mal,
mais c'est normal ;
elle est méchante :
cela m'enchante ;
elle est vilaine,
pourtant je l'aime...

Car, sans elle,
en effet,
les autres fées
seraient moins belles !

Robert Gélis,
En faisant des galipettes,
Magnard, 1983.

La fanfare

Une souricette
joue de la trompette,
un alligator
souffle dans un cor,
un petit panda
joue du gros tuba,

un lapin coquin
joue du tambourin,
un caméléon
de l'accordéon.

Suivez la fanfare...
Que le bal commence !
Et, jusqu'à ce soir,
entrez dans la danse !

Claude Clément,
© Toboggan Magazine,
Éditions MILAN, 1986.

Le roi du bricolage

Je suis le roi du bricolage.
Ma couronne est en coquillage,
Ma longue cape est en feuillage,
Mon pantalon en coloriage !
Mon château est fait de cartons,
D'escaliers en colimaçon
Qui tournent, tournent tout en rond :
Pour un roi, drôle de maison !

Ann Rocard

Si tu en as envie, lis une autre comptine page 64.

1 Le coin des devinettes

Dessine l'animal qui joue du tambourin et l'animal qui souffle dans un cor.

De quoi joue le panda ? _____

Et le caméléon ? _____

2 Le jeu des erreurs

Que dit le roi du bricolage ?
Colorie la bonne bulle :

> MA LONGUE CAPE EST EN FEUILLES.

> MA CAPE EST EN FEUILLAGE.

> MA LONGUE CAPE EST EN FEUILLAGE.

3 La bonne phrase

Les mots de cette phrase sont mélangés.

Remets-les en ordre (le premier est le dernier !) et écris la phrase au-dessous :

belles !   moins   seraient   fées   autres   les   effet   en   elle   sans   Car

_____

_____

4 Mots croisés

Regarde les petits dessins et écris les noms correspondants dans les cases.

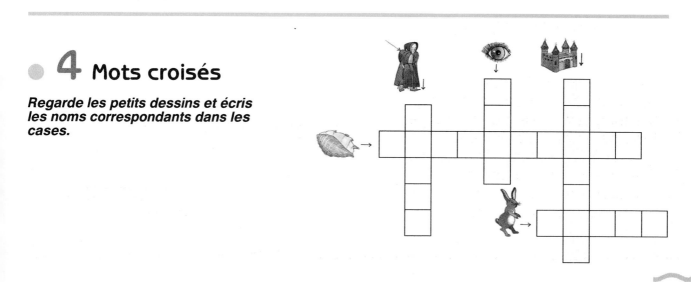

Le masculin et le féminin

Le masculin et le féminin

1. Le nom

- Masculin pour les garçons :
  Le roi du bricolage.
- Féminin pour les filles :
  Carabosse est une sorcière.

- Masculin pour les animaux mâles :
  un lapin.
- Féminin pour les animaux femelles :
  une lapine.
- Masculin pour les choses avec (un) ou (le) :
  un pantalon, le château.
- Féminin pour les choses avec (une) ou (la) :
  une couronne, la maison.

2. L'adjectif qualificatif
Le plus souvent, il faut ajouter un (e) à l'adjectif masculin pour obtenir le féminin :
L'ogre est méchant.
La sorcière est méchante.
Un nez pointu.
Une dent pointue.

1 **Dans les phrases suivantes, souligne en bleu les mots au masculin, en rouge les mots au féminin.**

ex : La <u>sorcière</u> est une <u>fée</u>.
Le <u>lapin</u> a un <u>tambourin</u>.

- Une souricette joue de la trompette.
- L'alligator souffle dans un cor.
- Avec le feuillage, tu fais une cape.
- Pour la maison, tu prends du carton.

2 **Relie les couples d'animaux et reporte leurs noms dans le tableau.**

- la poule
- la cane
- la lionne
- la chatte

Masculin (mâle)	Féminin (femelle)
ex : le chien	la chienne
le chat	la _____
_____	_____
_____	_____
_____	_____

3 **Trouve ce que se disent le magicien et la sorcière en employant les adjectifs : laid - vieux - rusé - ridicule.**

Masculin	Féminin
ex : Tu es méchant.	Tu es méchante.
Tu es laid.	Tu es _____
_____	_____
_____	_____
_____	_____

La soustraction

La soustraction

- Pour calculer une différence entre un grand nombre et un petit nombre, on fait **une soustraction.**
- Pour faire une soustraction, on utilise le signe –.
  $$7 - 3 = 4$$
- Le résultat d'une soustraction s'appelle **une différence.**
- La soustraction n'a que deux termes. Le nombre le plus grand doit être placé en tête.
  $7 - 3 = 4$ ou $7 - 4 = 3$
  $3 - 7$ est impossible.

La soustraction avec retenue

$548 - 439 = ...$

$$
\begin{array}{r}
54\,^{1}8 \\
- 4\,^{1}39 \\
\hline
10\,9
\end{array}
$$

- 9 pour aller à 8 : c'est impossible. Il faut dire 9 pour aller à 18. Je pose 9.
- Je mets la dizaine de 18 avec le 3 des dizaines en bas.
- $(3 + 1) = 4$ pour aller à 4, je pose 0.
- 4 pour aller à 5, je pose 1.

---

1 **Problème.** *Pour son anniversaire, Ludovic a reçu 105 F, Julie a reçu 120 F.*

Qui a le plus d'argent ?

Réponds : _____

Quelle est la différence entre les deux sommes d'argent ?

Calcule : _____

Réponds : _____

Ludovic a dépensé 93 F. Combien lui reste-t-il ?

Calcule : _____

Réponds : _____

Julie a dépensé 108 F. Combien lui reste-t-il ?

Calcule : _____

Réponds : _____

Que constates-tu ?

Réponds : _____

---

2 *Calcule :*

$$
\begin{array}{r}
6\ 2 \\
-\ 3\ 6 \\
\hline
\end{array}
\qquad
\begin{array}{r}
2\ 4\ 8 \\
-\ 1\ 2\ 7 \\
\hline
\end{array}
\qquad
\begin{array}{r}
7\ 4\ 2 \\
-\ 4\ 2\ 8 \\
\hline
\end{array}
$$

---

3 *Complète le tableau :*

– 5	15	·	·	58	34	+ 5
	·	10	27	·	·	

À l'assaut du mont Blanc

Cette année, le clown Kicétou a escaladé le mont Blanc. C'est la plus haute montagne de France et d'Europe.
Elle mesure 4 807 mètres.

L'an prochain, il escaladera peut-être la plus haute montagne du monde, l'Everest, qui se trouve en Asie et qui mesure 8 880 mètres.

Vois-tu, au sommet de cette montagne dans le massif du Mont-Blanc, « les neiges éternelles » et le glacier, fait de glace tassée, qui glisse lentement vers la vallée ?

Regarde ! Cet alpiniste escalade une paroi rocheuse sans aucun matériel.
As-tu déjà escaladé une montagne ? Laquelle ?

As-tu déjà vu une cascade ? Certainement pas comme la chute Angel ! Cette chute d'eau se trouve au Venezuela, en Amérique du Sud. 979 mètres de cascades : c'est incroyable !

Le voyage d'une goutte d'eau

La neige qui fond sur la montagne fait naître une source.

L'eau qui ruisselle le long des pentes devient une rivière.

Les rivières se rencontrent et forment un fleuve qui coule dans la plaine jusqu'à la mer. À la mer, le soleil et le vent provoquent l'évaporation de l'eau. C'est ainsi que se forment les nuages.

1 Du sommet à la vallée

Retrouve ces éléments sur les dessins et note leurs numéros dans les ronds :

① *sommet* ② *route en lacets* ③ *barrage* ④ *piste* ⑤ *chalet* ⑥ *vallée*

La montagne en été   La montagne en hiver

2 Relie :

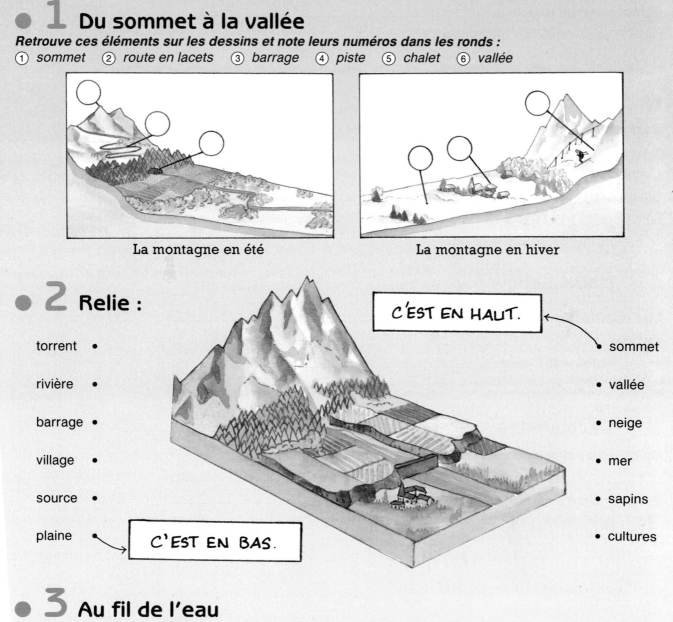

torrent •

rivière •

barrage •

village •

source •

plaine • → C'EST EN BAS.

C'EST EN HAUT. ←

• sommet

• vallée

• neige

• mer

• sapins

• cultures

3 Au fil de l'eau

Où vois-tu de l'eau pendant les vacances (glacier, mer, rivière, lac, ...) ? _____

_____

Bilan

Lecture

Qu'est-ce qu'un tuba ? _____

Qui a la peau fripée et l'œil mauvais ? _____

Français

Souligne en rouge les noms féminins, en bleu les noms masculins :

sorcière ; roi ; panda ; couronne ; doigt ; trompette.

Complète par « méchant » ou « méchante » :

Carabosse est _____

Le caméléon n'est pas _____

Mathématiques

Une soustraction sert à calculer une _____

Calcule : 12 – 8 = _____

264 – 157 = _____

Découvertes

Cite quelque chose qui ne se trouve qu'en haut des montagnes :

_____

Écris le nom d'un fleuve ou d'une rivière : _____

Total sur 10 : _____

Si tu as 8, 9 ou 10 ☺ : tu es très fort !

Si tu as 3, 4, 5, 6 ou 7 ☺ : bravo !

Si tu n'as que 1 ou 2 ☺ : réfléchis un petit peu plus et revois les pages précédentes.

Sommaire

- Histoire vraie : S.O.S. Baleines !
- Le singulier et le pluriel
- Les longueurs
- En visitant un château-fort

4

Coloriage

LE SAIS-TU ?

Mon premier est le contraire de haut.
Le mouton donne mon deuxième.
Mon tout est un énorme animal.

Quel est le pluriel du nom « cheval » ?

Sais-tu combien tu mesures ?

À quelle époque les châteaux-forts
ont-ils été construits ?

LECTURE

S.O.S. Baleines !

Comme chaque été, Casimir, Gertrude et Zizou, le petit baleineau, prennent le frais au large de l'Alaska, près du Pôle Nord. (...)
L'automne venu, des vents violents se lèvent et la neige se met à tomber. Mais dans l'océan Arctique, Gertrude, Casimir et Zizou continuent de plonger, jouer, avaler du plancton.

Soudain, Casimir bondit hors de l'eau. Il jette un coup d'œil et retombe sur le dos.
Plus une baleine à l'horizon !
Elles sont toutes parties vers des régions plus chaudes.
« Gertrude ! Zizou ! Vite, il faut les rejoindre ! » appelle Casimir.

Les trois retardataires essaient de rattraper le groupe...
Mais que se passe-t-il ?

Impossible de revenir à la surface pour respirer.
Au-dessus de leurs crânes, une couche dure comme de la pierre les empêche de sortir de l'eau : c'est de la glace.

D'après Serge Letort,
S.O.S. Baleines, COULICOU.

Prisonnières !
Vont-elles mourir sous la glace ?
Pour le savoir, lis la suite page 63.

vent violent : vent fort.

plancton : très petits animaux ou plantes qui vivent dans l'eau de mer.

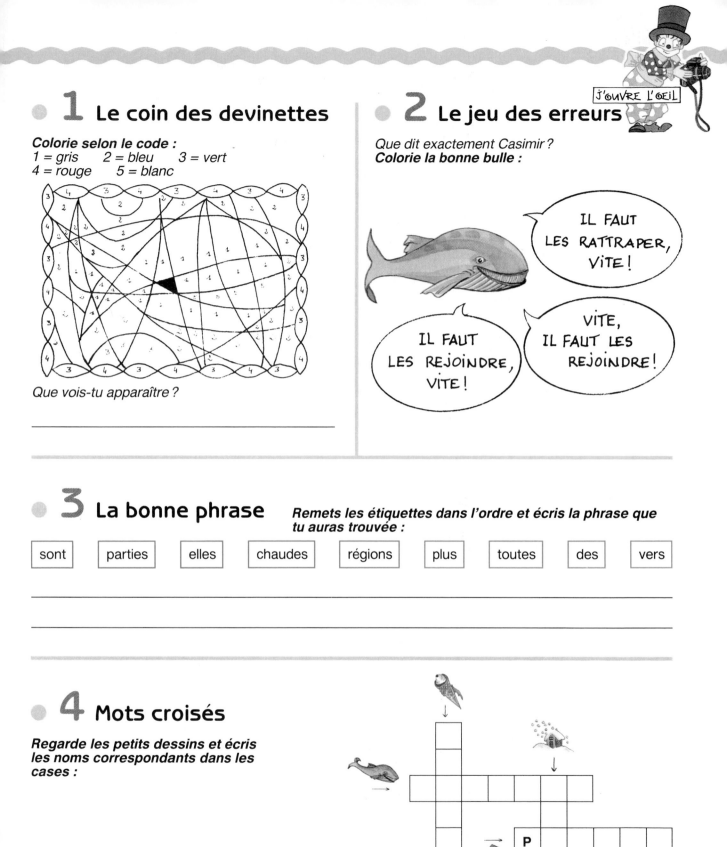

1 Le coin des devinettes

Colorie selon le code :
1 = gris   2 = bleu   3 = vert
4 = rouge   5 = blanc

Que vois-tu apparaître ?

_____

2 Le jeu des erreurs

Que dit exactement Casimir ?
Colorie la bonne bulle :

IL FAUT LES RATTRAPER, VITE !

IL FAUT LES REJOINDRE, VITE !

VITE, IL FAUT LES REJOINDRE !

3 La bonne phrase

Remets les étiquettes dans l'ordre et écris la phrase que tu auras trouvée :

| sont | parties | elles | chaudes | régions | plus | toutes | des | vers |

_____

_____

4 Mots croisés

Regarde les petits dessins et écris les noms correspondants dans les cases :

Le singulier et le pluriel

Le singulier et le pluriel

Le nom

- Le singulier, c'est un seul.

(une) baleine

- Le pluriel, c'est plusieurs.

(les) baleines

- Ces déterminants indiquent le singulier :

  la baleine   le poisson

  cet animal   son amie

- Ces déterminants indiquent le pluriel :

  les baleines   trois poissons

  ces animaux   nos amies

- Au pluriel, le nom prend un s ou un x.

  la baleine   → les baleines
  un Esquimau → des Esquimaux
  cet animal   → ces animaux

L'adjectif qualificatif

L'adjectif qualificatif s'accorde avec le nom qu'il accompagne.

  un gros éléphant blanc
  une grosse baleine blanche
  des gros éléphants blancs
  des grosses baleines blanches

1 **Dans le texte, souligne les mots au pluriel et entoure leurs déterminants :**

Pendant l'été, (les) **baleines** vivent au pays (des) **Esquimaux.** Les baleines ne sont pas des poissons : elles ont besoin de respirer à la surface des océans. Quand vient la mauvaise saison, nos trois amies ont oublié de partir pour les régions chaudes. Ces animaux doivent nager vers le Sud.

2 **Relie chaque dessin au nom correspondant, puis complète le tableau :**

- rideau
- gant
- chaussette
- œil

SINGULIER	PLURIEL
ex. : une chaussure	des chaussures
☐ un rideau	_____
☐ un gant	_____
☐ une chaussette	_____
☐ un œil	_____

3 **Complète les phrases en utilisant ces adjectifs et tu inventeras un animal étrange. Dessine-le dans le cadre.** *(N'oublie pas d'accorder les adjectifs).*

grand - jaune - petit - rouge - long - pointu - beau - vert - doux - bleu

J'ai des _____ oreilles

_____, des _____ pattes

_____, une _____ queue,

un nez _____ et des _____

yeux _____. Ma tête et

mon corps sont _____;

mes cheveux sont _____. Je suis vraiment le plus rigolo !

Les longueurs

Les unités de longueurs

Pour mesurer des longueurs, il faut un mètre ou une règle graduée.

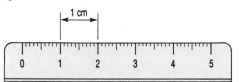

Cette règlette mesure 5 centimètres.

Le mètre est l'unité principale de longueur. Pour mesurer les petites longueurs, on utilise les unités suivantes :

mètre	décimètre	centimètre	millimètre
m	dm	cm	mm

Pour mesurer de grandes distances (comme les routes), on utilise le kilomètre.

$$1 \text{ km} = 1\,000 \text{ m}$$

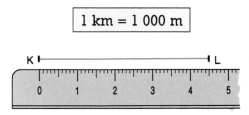

Le segment KL mesure 4 cm et 5 mm.

Les grands traits sont les centimètres.
Les petits traits sont les millimètres.
On mesure toujours à partir du zéro.

1 Problème

Pierre et Hélène jouent à « 1-2-3 SOLEIL ! » avec Émilie. Pierre fait 8 pas de 20 cm. Hélène fait 10 pas de 16 cm.
Quelle distance Pierre a-t-il parcourue ?

Calcule : _____

Réponds : _____

Quelle distance Hélène a-t-elle parcourue ?

Calcule : _____

Réponds : _____

Que remarques-tu ?

Réponds : _____

2 Mesure ces segments :

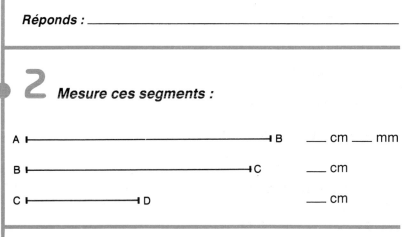

A ———————————— B   ___ cm ___ mm

B ———————————— C   ___ cm

C ——————— D   ___ cm

3 Cherche ce qui peut correspondre à chacune de ces mesures :

80 cm	300 m	120 cm	6 mm	18 cm
a	.	.	.	.

Classe ces mesures de la plus courte à la plus longue.

En visitant un château-fort

As-tu déjà vu des châteaux-forts? Certains sont en ruines, d'autres sont encore très beaux. Cette année, le clown Kicétou a visité le château de Fougères. Suis-le dans son voyage au temps des chevaliers!

La ville de Fougères se situe à la limite de la Bretagne, du Maine et de la Normandie. Le château est très grand : il a 13 tours.

Le château de Fougères a été construit au Moyen Âge sur une « colline » rocheuse. C'était une forteresse militaire très importante. Un méandre de la rivière, le Nançon, entoure le château. Il sert de douves.

Au Moyen Âge les tournois sont, avec la chasse, les loisirs préférés du seigneur.

Autour du château, les paysans labourent les champs avec une charrue.

Le seigneur habite dans un château-fort pour se protéger de ses ennemis. Il vit dans le donjon avec sa famille. Le donjon est la plus grosse tour du château.
Les paysans habitent dans des chaumières au pied du château.

Le seigneur protège les paysans en période de guerre. En échange, les paysans travaillent pour le seigneur.
Parfois, les récoltes sont mauvaises et les paysans meurent de faim.

● 1 Le château-fort

Retrouve ces éléments sur le dessin et note leurs numéros dans les ronds :
① le donjon ② le fossé ③ la tour ④ le pont-levis ⑤ la muraille ⑥ la cour intérieure

● 2 Relie :

charrue •

chasse •

château •

chaumière •

riche •

cheval •

labour •

pauvre •

PAYSAN   SEIGNEUR

● 3 Déguisement

Fabrique-toi un costume du Moyen Âge en papier ou en tissu.

carton

ruban adhésif ou agrafes

papier ou tissu

robe longue ou chemise de nuit

bâton ou tube en carton recouvert de papier d'aluminium

collant

Bilan

⬤ Lecture

Qu'est-ce que le plancton ? _____

Qu'est-ce qui empêche les trois baleines d'aller respirer à la surface

de l'eau ? _____

⬤ Français

Souligne en rouge les mots au singulier et en bleu les mots au pluriel :

Plus une baleine à l'horizon !

Elles sont toutes parties vers des régions plus chaudes.

Complète les phrases avec « grande » ou « grandes » :

La baleine n'a pas de _____ oreilles.

La baleine est très _____ .

⬤ Mathématiques

De quoi se sert-on pour mesurer une longueur ? _____

Pour mesurer les routes, qu'est-ce qu'on utilise : les centimètres,

les mètres ou les kilomètres ? _____

⬤ Découvertes

Au Moyen Âge, est-ce que les paysans habitaient en permanence dans des

châteaux-forts ? _____

Comment s'appelle la plus grosse tour du château-fort ? _____

Total sur 10 : _____

Si tu as 8, 9 ou 10 ☺ : tu es très fort !

Si tu as 3, 4, 5, 6 ou 7 ☺ : bravo !

Si tu n'as que 1 ou 2 ☺ : réfléchis un petit peu plus et revois les pages précédentes.

Vive les vacances !

Sur la route des vacances...

● Pendant les vacances, as-tu vu des monuments qui te plaisent : des châteaux, des églises, des tours, etc. ? _____

Quel est ton monument préféré ?

_____

Où se trouve-t-il ? _____

Sais-tu quand il a été construit ? _____

Qu'y a-t-il à l'intérieur ? _____

Pourquoi aimes-tu ce monument ? _____

_____

● Colle une carte, une photo ou un dessin de ce monument.

Construis un château-fort !

Pour fabriquer un château, il te faut : un carton et des bouteilles en plastique vides.
Regarde bien les schémas pour savoir comment il faut faire.

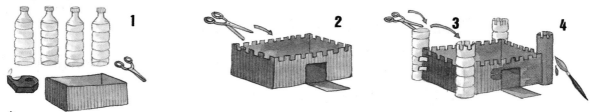

À la fin, peins ton château ou recouvre-le de papier coloré.

Colle un dessin (ou une photo) du château que tu as fabriqué ou d'un autre monument que tu as vu pendant les vacances.

Même si tu n'as pas fabriqué de château, tu peux inventer la suite :

Je suis la reine,
je suis le roi.
Je ne fais pas n'importe quoi !

Mon château est _____

_____

_____

Sommaire

- Théâtre : Toto et Zanzibar
- Les groupes de mots
- La monnaie
- Et si tu élevais un cochon d'Inde?

5

Coloriage

LE SAIS-TU?

Je fais rire. J'ai un nez rouge
ou je suis tout blanc.
Qui suis-je?

Remets cette phrase en ordre :
le marteau / range / Toto / dans sa poche.

Sais-tu combien coûte une baguette
de pain?

Quel est ton animal préféré? Pourquoi?

Pièce de théâtre à jouer « pour de vrai » ou avec des marionnettes.

Toto et Zanzibar

Deux clowns se rencontrent. Ils sont habillés de la même façon.
Toto a un faux marteau en carton dans la poche de son pantalon.

TOTO : Bonjour !

ZANZIBAR : Bonjour ! Tu es habillé comme moi... Bizarre !

TOTO : Bazar ? Quel bazar ?

ZANZIBAR *(crie)* : J'ai dit bizarre !

TOTO *(débouche ses oreilles)* : Je ne suis pas sourd.

ZANZIBAR *(chuchote)* : Quel est donc ton métier ?

TOTO : Clown.

ZANZIBAR : Clou ? Et où caches-tu ton marteau ?

TOTO *(sort un gros marteau de sa poche)* : Là ! C'est un marteau de clown...

ZANZIBAR : Bizarre... Moi, je suis un clown. Je m'appelle Zanzibar.

TOTO : Jean Bazar ?

ZANZIBAR *(crie)* : J'ai dit Zanzibar !

TOTO *(débouche ses oreilles)* : Je ne suis pas sourd.

ZANZIBAR *(chuchote)* : Quel est ton nom ?

TOTO : Théophile Toto.

ZANZIBAR : Tu me prêtes ton marteau, Toto ?

TOTO *(tend le marteau)* : D'accord... Mais attention : il est lourd !

ZANZIBAR *(prend le marteau qu'il a du mal à porter)* : Ffff...
Terriblement lourd. À quoi sert-il ?

TOTO *(mime)* : À faire le clown ! Tu le soulèves au-dessus de ta tête.

ZANZIBAR *(fait beaucoup d'efforts)* : Je le soulève au-dessus de ma tête...

TOTO : Puis à 3, tu le lâches.

ZANZIBAR *(étonné)* : Je lâche quoi ?

TOTO : Le marteau ! 1... 2...

ZANZIBAR *(lâche le marteau)* : 3 !

Le faux marteau tombe sur la tête de Zanzibar qui s'écroule,
à moitié assommé.

TOTO *(range le marteau dans sa poche)* :
Un vrai marteau de clown !
C'était le clou du spectacle !
Toto s'éloigne en riant.

ZANZIBAR *(qui se frotte la tête)* :
Si j'ai bien compris... le clown
du spectacle : c'est moi !

Ann Rocard

bazar : magasin où l'on trouve toutes sortes d'objets mais cela signifie aussi : objets en désordre, pas rangés.

Ffff : le bruit que fait Toto en soufflant.

le clou du spectacle : C'est le meilleur moment du spectacle.

1 Le coin des devinettes

Colorie en choisissant une couleur qui commence par :

r = _____ m = _____

v = _____ b = _____

Que vois-tu apparaître ? _____

2 Le jeu des erreurs

J'OUVRE L'ŒIL

Que dit exactement Toto ?
Colorie la bonne bulle :

UN VRAI MARTEAU DE CLOWN !

UN VRAI MARTEAU DE FOU !

UN VRAI MARTEAU DE CLOU !

3 La bonne phrase   *Complète :*

Tu me _____ ton _____, Toto ?

Tu le _____ au-dessus de _____.

C'était le _____ du _____!

4 Mots croisés

Regarde les petits dessins et écris les noms correspondants dans les cases :

43

Les groupes de mots

Les groupes de mots

Une phrase est formée de groupes de mots :

Le clown soulève le marteau.

| groupe sujet GS | verbe V | groupe complément GC |

Le groupe sujet

Le groupe sujet peut être :

- un déterminant + un nom
  commun
  le   *clown*
- un nom propre
  Zanzibar
- un pronom personnel
  Il
- un déterminant + un adjectif qualificatif + un nom
  le petit clown.

Le verbe

Le verbe s'accorde avec le sujet :
Le clown jongle.
Les clowns jonglent.
Qui est-ce qui jongle ?
C'est le clown.

Le groupe complément

Le groupe complément complète le verbe :
Le clown soulève le marteau.
Le clown soulève quoi ?
Le marteau

---

1 **Dans les phrases suivantes, entoure en couleur le groupe sujet, le verbe et le groupe complément :**

ex : Le petit clown   soulève   le lourd marteau .

- Je mange une pomme.
- Le train arrivera ce soir.
- Les vieilles voitures roulent lentement.
- Anne a trouvé un beau papillon.

---

2 **Décris chaque dessin par une phrase formée d'un groupe sujet, d'un verbe et d'un groupe complément :**

	GS	V	GC
A.	Le clown	jongle	avec des quilles.
B.			
C.			

---

3 **Regarde les dessins et réponds aux questions :**

- Qui est-ce qui siffle ?
  _____
- Qui est-ce qui pleure ?
  _____
- Qui est-ce qui miaule ?
  _____

La monnaie

La monnaie

- Pour payer, il faut des pièces et des billets.
  On compte la monnaie en centimes et en francs.

- Les centimes :
  10 c, 20 c, 50 c.

- Les francs
  les pièces : 1 F, 2 F, 5 F, 10 F.

les billets :
20 F, 50 F, 100 F, 200 F, 500 F.

- Pour apprendre à compter la la monnaie, on peut "jouer à la marchande...".
  Cherche le prix des objets autour de toi ; regarde dans les catalogues.

1 **Problème**
Émilie achète un rôti à 48 F et un poulet à 27 F.

Combien doit-elle payer ?

Calcule : _____

Réponds : _____

Elle paye avec un billet de 100 F.
Quelle somme lui rend le marchand ?

Calcule : _____

Réponds : _____

2 **Complète le tableau selon l'exemple :**

somme à payer	100 F	50 F	10 F	5 F	2 F	1 F
265 F	| |	|	|	|		
333 F						
408 F						
95 F						

3 **Cherche combien peuvent coûter ces objets.**

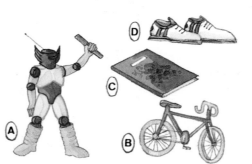

23 F	250 F
C	

54 F	1 000 F

Et si tu élevais un cochon d'Inde ?

Le « cochon d'Inde » s'appelle aussi un cobaye. En as-tu déjà vu ?

Le bébé cobaye tète le lait de sa mère pendant quinze jours. Puis il mange des carottes, des grains, de la verdure, des fruits, des croûtes de pain sec.

À 6 mois, il est devenu adulte.

Pour avoir des petits, il faut un couple : un mâle et une femelle.

La maman cobaye porte ses petits dans son ventre et elle les allaite : c'est un mammifère.

Le cobaye pèse environ 800 grammes, il mesure 20 à 40 centimètres de long. Il vit environ 5 ans. Il est doux et craintif.

Le cobaye est très affectueux. Il pousse des « piou ! » de bienvenue, puis se blottit dans le cou de son maître en « ronronnant ».

Tous les animaux ne sont pas des mammifères. Par exemple, les oiseaux, les poissons, les papillons, les grenouilles sont ovipares : ils pondent des œufs.

● 1 De quoi le cobaye a-t-il besoin ?

Complète la grille :

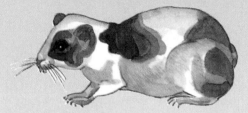

H								
A								
B
I						
T
A									
T
I
O					.			
N

Quelques conseils :
Pas de courants d'air, pas de verdure humide.
Ne pas le « tripoter », le laisser se promener
dans ta chambre et te faire des câlins.
Changer souvent sa litière.
Prévoir une mangeoire et un abreuvoir.

● 2 Tu peux élever des animaux sauvages : papillons, grenouilles, criquets, escargots...

Observe les animaux et remplis le tableau :

Il se nourrit.		
aliments	il mange	il ne mange pas
Il grandit, il grossit.		
date	taille en cm	masse en g

Tu peux écrire l'histoire de ton animal préféré...

Dessine-les dans le cadre :

Bilan

Lecture

Comment sont habillés les deux clowns de la pièce de théâtre ?

_____

Que veut dire « le clou du spectacle » ? _____

☺ ☹

Français

***Souligne le groupe-sujet en noir,
le verbe en rouge,
le groupe-complément en bleu :***

Les clowns ont un gros nez rouge.

Zanzibar lâche l'énorme marteau.

Je suis le clou du spectacle.

Mathématiques

Pour payer, on utilise des pièces et des billets.

Cela s'appelle de la _____

Cite cinq pièces que tu connais : _____

Cite deux billets que tu connais : _____

Découvertes

Quel est le deuxième nom du cobaye ? _____

Est-ce que le cobaye pond des œufs ? _____

Total sur 10 : _____

Si tu as 8, 9 ou 10 ☺ : tu es très fort !

Si tu as 3, 4, 5, 6 ou 7 ☺ : bravo !

Si tu n'as que 1 ou 2 ☺ : réfléchis un petit peu plus et revois les pages précédentes.

Sommaire

- Une lettre à la souris
- La conjugaison
- Les masses
- En visitant la grotte de Lascaux

6

Coloriage

LE SAIS-TU?

Mon premier est le contraire de « sur ».
Les Chinois mangent mon deuxième.
Le chat attrape mon tout.

Je crie, tu cries, il crie, nous crions,
vous criez, ils n'ont plus de voix.

Combien pèses-tu?

Quel est l'animal, ressemblant à l'éléphant,
que chassaient les hommes préhistoriques?

Une lettre à la souris

Chère souris

Hier, j'ai perdu une dent en croquant une pomme.
Ce matin, j'ai perdu une deuxième dent en mangeant une tartine de chocolat-grenadine.
Et ce soir... catastrophe ! Je perds une troisième dent en suçant du zan.
Jamais deux sans trois : évidemment !
Demain, je perdrai peut-être toutes les dents qui me restent...
Je suis vraiment inquiet : ma bouche est pleine de courants d'air... Elle ressemble à un morceau de gruyère ! Que faut-il faire ?
Chère souris, quand tu viendras chercher mes trois dents, je ferai semblant de dormir. Puis sans un bruit, je te suivrai sur la pointe des pieds.
Ne te retourne pas, ne me regarde pas... mais dis-moi simplement :

Viens !
Je t'invite dans mon palais.
Je vais te montrer mes secrets,
tous les trésors que j'ai bâtis
avec des milliers de dents...

Chère souris,
je t'envoie
un "bisou bisou"
sur le bout
de tes
moustaches.

le zan : petit bonbon noir, fait avec de la réglisse.

« Jamais deux sans trois » : Quelque chose qui se produit deux fois se produit souvent une troisième fois.

évidemment : bien sûr

1 Le coin des devinettes

Relie les lettres de l'alphabet.

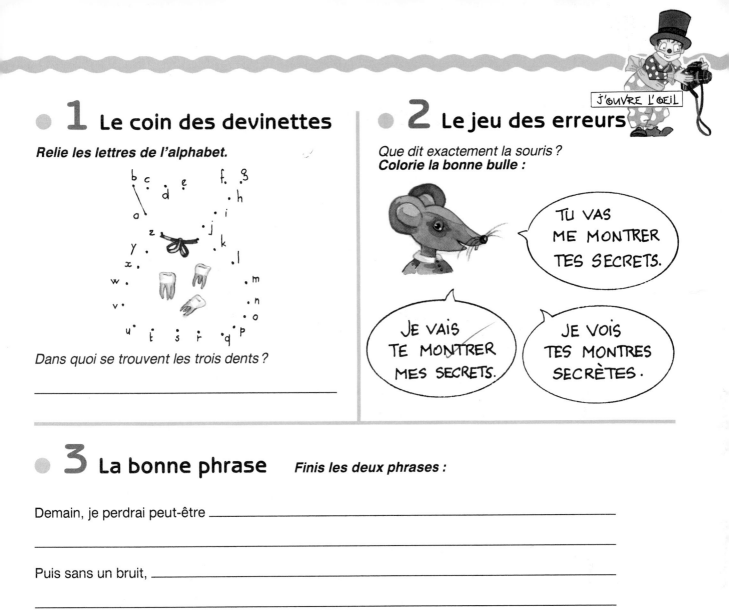

Dans quoi se trouvent les trois dents ?

_____

2 Le jeu des erreurs

Que dit exactement la souris ?
Colorie la bonne bulle :

> TU VAS ME MONTRER TES SECRETS.

> JE VAIS TE MONTRER MES SECRETS.

> JE VOIS TES MONTRES SECRÈTES.

3 La bonne phrase

Finis les deux phrases :

Demain, je perdrai peut-être _____

_____

Puis sans un bruit, _____

_____

4 Mots croisés

Regarde les petits dessins et écris les noms correspondants dans les cases :

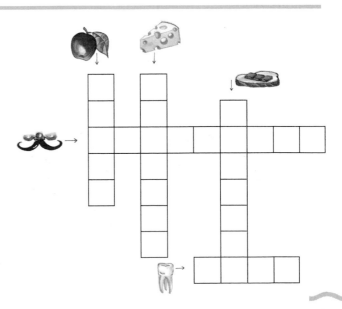

La conjugaison

La conjugaison

Un verbe peut s'écrire à l'infinitif : CHANTER

Un verbe peut se conjuguer. Il change de forme selon la personne :

je chante
tu chant**es**
il chante
un enfant chante
on chante
nous chant**ons**
vous chant**ez**
ils chant**ent**
elles chant**ent**
les enfants chant**ent**

C'est le verbe **chanter** au **présent.**

Il change aussi de forme selon le temps :
passé - présent - futur.

*Hier, j'**ai** chant**é**.*
(Passé composé)
Aujourd'hui, je chante. (Présent)
*Demain, je chanter**ai**.* (Futur)

Les pronoms personnels

Le sujet du verbe est souvent un pronom personnel :
je, tu, il, elle, on, nous, vous, ils, elles.

1 **Dans les phrases suivantes, souligne en rouge le verbe conjugué. Puis écris-le à l'infinitif.**

ex : La souris <u>habite</u> dans un palais. *(habiter)*

Tu travailles pendant les vacances. _____

J'ai un chat blanc. _____

Les enfants iront à la piscine. _____

Nous sommes à la maison. _____

2 **Avec les images et les phrases dans les cadres, retrouve la fin des phrases A, B et C :**

ex : Quand le prince arrivera,... la Belle au bois dormant se réveillera.

| Blanche-Neige l'a mangée. | Cendrillon a quitté le bal. | Le Petit Poucet sème des cailloux. |

A. Pour retrouver son chemin, _____

B. Quand minuit a sonné, _____

C. La sorcière lui a donné une pomme, _____

3 **Complète les phrases avec le pronom personnel qui convient :**

ex : (la souris) *Elle* invite les enfants.

(les enfants) _____ visitent le palais.

(le palais) _____ est tout blanc.

(les gardes) _____ portent des clefs.

Les masses

Les unités de masse

Pour peser des objets, il faut une balance et des masses.

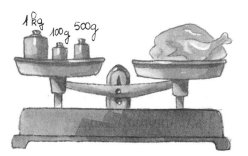

Le gramme et le kilogramme sont les principales unités de masse.

$$1\,000 \text{ g} = 1 \text{ kg}$$

Dans cette boîte, il y a des masses marquées pour peser des objets.
Dans la vie courante, on dit souvent « poids » au lieu de « masse ».

500g + 200g + 100g + 100g = 900g

1g + 2g + 2g + 5g + 10g + 10g + 20g + 50g = 100g

En mathématiques, on doit dire « masse » et non « poids ».

---

1 ***Problème.***
Avec les masses de la boîte, Maman a pesé des fraises.

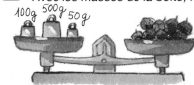

Combien pèsent-elles ?

_____

Maman pèse 630 g de sucre. Quelles masses utilise-t-elle ? **Dessine-les.**

Pour faire de la confiture, il faut le même poids de sucre que de fraises. **Que doit faire Maman ?**

_____

---

2 ***Complète le tableau selon l'exemple :***

masse des objets	500 g	200 g	100 g	50 g	20 g	10 g	5 g	2 g	1 g
950 g	I	I	II	I					
650 g									
95 g									
135 g									

---

3 ***Cherche combien ils peuvent peser :***

250 g	30 kg	1 kg
·	·	·

En visitant la grotte de Lascaux

Le clown Kicétou a visité quelques grottes et il a découvert des « dessins » extraordinaires : des mains « au pochoir », des animaux. Qui a fait ces peintures ? Des hommes préhistoriques qui vivaient là, il y a très, très, très longtemps.

Les premiers hommes s'abritent dans des grottes. Un jour, ils découvrent comment faire du feu. Pour se nourrir, ils cueillent des fruits sauvages, ils pêchent dans les rivières, ils chassent des animaux féroces. Ils savent fabriquer des armes et des outils.

Devine qui a bien pu faire ces mains !
(Gargas - Haute-Garonne)

Pendant la préhistoire, il y avait déjà des chevaux (Lascaux - Dordogne).
Près de Paris, au musée du château de St-Germain-en-Laye, on peut voir des copies de ces peintures.

Les hommes préhistoriques avaient à affronter de nombreux dangers et ils souffraient souvent de la faim et du froid.
(photo extraite du film « La Guerre du feu »)

1 Peintures et objets préhistoriques

Retrouve ces éléments sur le dessin et note leurs numéros dans les ronds :

① *paroi de la caverne*   ② *lampe à huile*   ③ *vêtement de peau*   ④ *cheval peint*

⑤ *mammouth gravé*

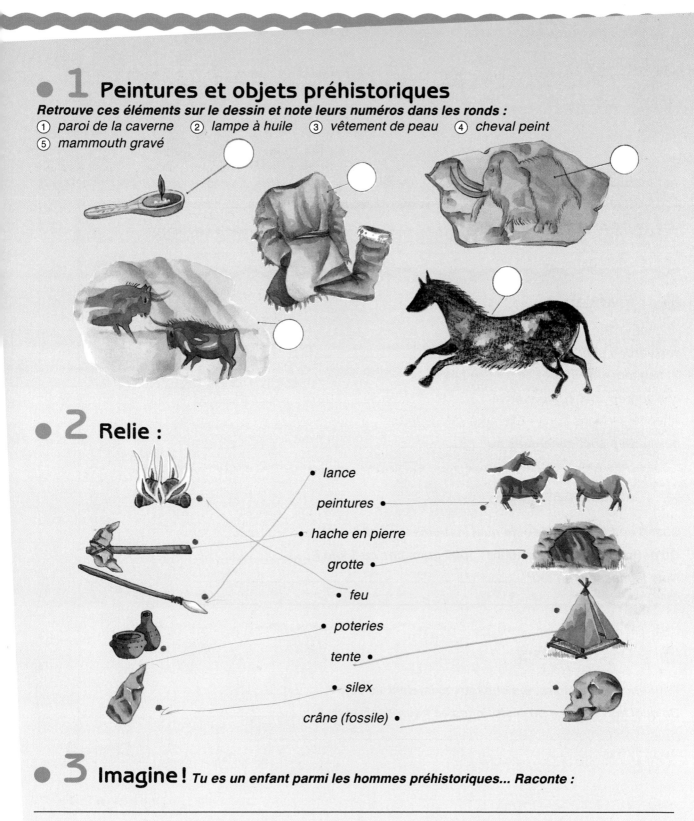

2 Relie :

lance

peintures

hache en pierre

grotte

feu

poteries

tente

silex

crâne (fossile)

3 Imagine ! *Tu es un enfant parmi les hommes préhistoriques... Raconte :*

_____

_____

_____

Bilan

Lecture

Combien la souris de l'histoire est-elle venue chercher de dents ? _____

Que veut dire « jamais deux sans trois » ? _____

_____

Français

Habiter • Aller • Avoir • Faire :

ces verbes sont écrits à l' _____

Ils habitent • Ils vont • Elle a • Elle fait :

ces verbes sont conjugués au _____

Il habitera • Nous irons • Elle aura • Vous ferez :

ces verbes sont conjugués au _____

Mathématiques

Quand on pèse un objet, de quel instrument se sert-on ? _____

Qu'est-ce qui est le plus lourd : 1000 grammes ou 1 kilo ? _____

Note la masse d'un œuf _____

_____

Découvertes

Pendant la préhistoire, les chevaux existaient-ils déjà ? _____

De quoi les hommes préhistoriques se nourrissaient-ils ? _____

_____

Total sur 10 : _____

Si tu as 8, 9 ou 10 ☺ : tu es très fort !

Si tu as 3, 4, 5, 6 ou 7 ☺ : bravo !

Si tu n'as que 1 ou 2 ☺ : réfléchis un petit peu plus et revois les pages précédentes.

Vive les vacances !

Qui vient au cirque ?

● As-tu déjà été au cirque ? _____

Dans un cirque, qu'est-ce qui te plaît le plus ?

_____

● Dessine-toi en clown sur la piste du cirque :

● **Et si tu te déguisais en clown !**

Pour jouer le sketch de
« Toto et Zanzibar », il faut se maquiller :

Il faut se coiffer
ou mettre un chapeau
rigolo :

cône en carton

élastique

trait noir
(crayon à maquillage)
rouge à lèvres

ruban

chemise
et pantalon
trop grands

Et aussi se déguiser :

chaussures
trop grandes

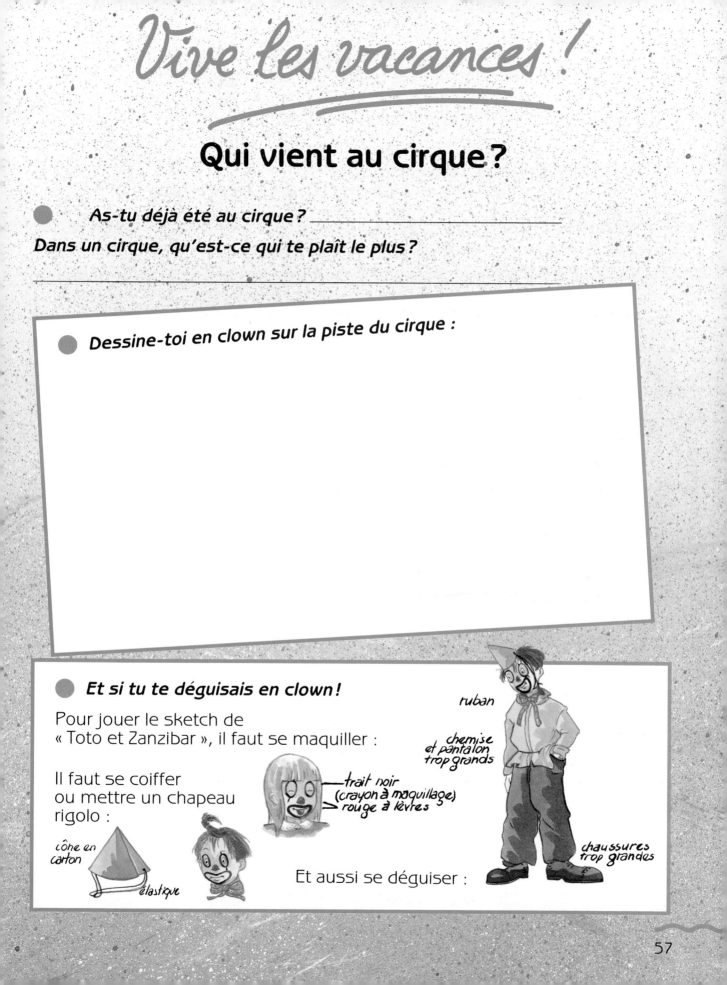

Il pleut...

● Peinture pour un jour de pluie ou pour le soir,
avant de se coucher...

Choisis deux couleurs différentes.
Colorie (peinture, crayons ou feutres) les cases en alternant
les couleurs.

Puis découpe les formes page 79
et colle-les sur les cases de façon régulière, par ex:

...ou il fait beau.

● « Qui a les yeux dans sa poche ? »

Regarde bien tous les objets que Kicétou a posés sur l'herbe. Ensuite, ferme le livre et essaie de te souvenir de tous ces objets.

Tu peux aussi jouer avec tous tes amis.
Pose plein d'objets par terre ou sur une table.
Regardez-les bien pendant quelques minutes, puis recouvrez le tout d'un grand morceau de tissu.
Qui se souviendra de tous les objets ?

Colorie : tu aimes beaucoup ce jeu ☺

tu n'aimes pas beaucoup ce jeu ☹

● À quoi aimes-tu jouer pendant les vacances ?

_____

Des croque-bonhomme
à croquer par tous les temps...

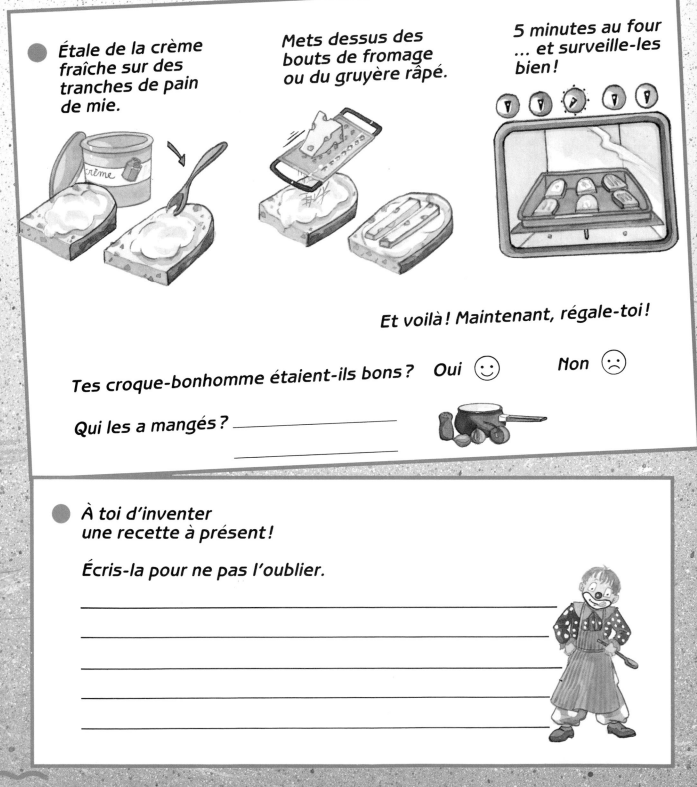

- Étale de la crème fraîche sur des tranches de pain de mie.

Mets dessus des bouts de fromage ou du gruyère râpé.

5 minutes au four ... et surveille-les bien !

Et voilà ! Maintenant, régale-toi !

Tes croque-bonhomme étaient-ils bons ?   Oui ☺   Non ☹

Qui les a mangés ? _____

- À toi d'inventer une recette à présent !

Écris-la pour ne pas l'oublier.

_____

_____

_____

_____

_____

Annexes

Suites de lecture

Conseils

Corrigés

Auto-dictées

Pages à découper

La sorcière Bistokère (suite)

Mais en chemin, Bistokère s'assied pour se reposer un peu. Pendant ce temps, Petit-Pierre se libère et il dépose un énorme caillou à sa place, au fond du sac.

Quand la sorcière reprend sa route, elle transpire à grosses gouttes et elle grogne :
— Ce gamin est aussi lourd qu'une vraie pierre !

Arrivée chez elle, Bistokère allume un feu sous une marmite remplie d'eau. Elle prend son sac, sans regarder ce qu'il contient, et elle jette dans la marmite... l'énorme caillou. PLAF ! L'eau bouillante jaillit de tous les côtés.
— Ouille ouille ouille ! hurle la sorcière. Je me suis brûlé les pieds ! Ouille ouille ouille ! Petit-Pierre s'est transformé en rocher !

Le lendemain, Bistokère décide de se venger. Elle retourne sous le poirier et elle appelle Petit-Pierre :
— Descends de ton arbre et donne-moi une poire entière !
— Pas question ! dit le petit garçon. Je n'ai pas envie que tu m'attrapes comme hier.

— Je ne le ferai plus jamais, parole de sorcière ! promet Bistokère.
Mais dès que Petit-Pierre pose le pied par terre, l'affreuse sorcière le saisit par le bras et elle le jette dans son grand sac.

Bistokère a mal aux pieds, elle avance à pas lents et un peu plus loin, elle s'assied quelques instants au bord du chemin. Le petit garçon en profite pour s'échapper et il met à sa place au fond du sac, le gros chien du fermier. Quand la sorcière reprend sa route, le sac bouge sans arrêt.

— Arrête de gigoter ! gronde la sorcière qui entrouvre le sac pour donner une fessée à son prisonnier.
Hop ! Le gros chien bondit et il se précipite sur Bistokère.
— Au secours ! À moi ! gémit-elle en se sauvant. Au secours ! Il m'a mordu le derrière !

Le troisième jour, l'affreuse Bistokère attrape de nouveau Petit-Pierre. Cette fois-ci, elle ne lâche pas le sac une seule seconde, elle ne se repose pas en route. Elle va droit chez elle, malgré ses pieds bandés et son derrière couvert de pansements.

Arrivée dans sa maison, elle veut jeter son prisonnier dans la grande marmite... Mais Petit-Pierre lui échappe. Il empile deux tabourets sur une chaise. Il met le tout sur la table et il grimpe au-dessus de la cheminée.
— Je peux en faire autant ! grimace la sorcière.

HOP ! Elle escalade la pyramide... mais tout à coup, elle perd l'équilibre et elle tombe la tête la première dans le feu, où elle disparaît à tout jamais.

Depuis ce jour, on peut grimper sur le poirier, sans risquer de rencontrer la terrible Bistokère... Parole de sorcière !

S.O.S. baleines ! (suite)

Prisonnières !
Les voilà prisonnières d'un plafond de glace. Que faire ? Les baleines donnent de grands coups de tête et de queue, pour percer la couche de glace.

Quelques rares trous leur permettent encore de sortir la tête hors de l'eau pour respirer.
— Impossible d'aller plus loin, gémit Gertrude. Tout est bloqué !

Au bord de l'eau gelée, Tagounavik, la petite Esquimaude, aperçoit les têtes énormes des baleines. Elle comprend aussitôt ce qui se passe... et elle retourne vite au village pour donner l'alerte :
— Des baleines sont prisonnières ! Des baleines sont prisonnières !

Bientôt, les habitants du village accourent. Ils creusent des trous dans la glace avec des pieux et des tronçonneuses pour que les baleines puissent reprendre leur souffle. Mais ces outils ne suffisent pas.

Alors les villageois lancent un message radio :
« S.O.S. ! Trois baleines sont en danger de mort ! »
Dans chaque ville, dans chaque pays, on répète le message :
« S.O.S. ! Trois baleines sont en danger de mort ! »
Et tous les hommes décident de les sauver et préparent du matériel de secours.

Pendant ce temps, les trois baleines continuent la lutte. Trois, quatre, cinq jours passent...
Elles sont épuisées ; leurs museaux sont ensanglantés.

Un matin enfin, elles entendent des bruits inconnus. Dans un dernier sursaut, Gertrude bondit hors d'un trou. Et là, tout près, elle voit un énorme bateau qui creuse un chemin dans la glace.

Hourra ! Les trois baleines vont quitter leur prison. Gertrude, Casimir et Zizou donnent quelques coups de nageoires en signe de remerciement, puis elles entrent dans le nouveau passage et elles se dirigent vers l'Océan, où un long voyage les attend.
— Hourra ! s'écrie Tagounavik. Les baleines sont sauvées !

Une nouvelle histoire à lire ou à écouter :

Le prince et la bergère

Il était une fois une bergère
qui gardait ses moutons
au bord d'une rivière.
Arrive le Prince Charmant
dans un bateau blanc vrombissant.
Il vient faire des vaguelettes
juste devant la bergère
qui pêche avec une épuisette.
Elle lève les yeux sur lui et,
sèchement, elle lui dit :
— Tu ne peux pas faire attention ?
Tu va faire fuir les poissons...

Une autre fois, la jolie bergère
garde son troupeau de moutons
dans une petite clairière.
Arrive le Prince Charmant
à bord d'un avion rutilant.
Quand il se pose sur le pré,
elle lui dit d'un ton glacé :
— Tu pourrais être plus discret !
Les oiseaux se sont envolés...

Le lendemain, la charmante bergère
garde son troupeau de moutons
devant sa petite chaumière.
Arrive le Prince Charmant
sur un scooter pétaradant.
Il freine devant la bergère
qui lui lance, très en colère :
— Tu ne peux pas faire attention ?
Tu as effrayé mes moutons...
Le Prince Charmant descend
de son scooter et se plante
devant la bergère :
— Je ne sais vraiment plus quoi faire
pour essayer de te plaire.
Tu as trop mauvais caractère !
Je vais chercher une amoureuse
moins difficile et moins querelleuse.
Puis il remonte sur son scooter
et s'éloigne de la chaumière.

Pendant quelque temps,
la bergère garde son troupeau
de moutons sans jamais
être dérangée.
Personne ne vient la contrarier.
Personne ne cherche à lui plaire.
Elle s'ennuie un peu
au bord de la rivière...
Elle s'ennuie beaucoup
dans la clairière...
Elle s'ennuie infiniment devant
sa petite chaumière !

Alors, elle prend son vélo et pédale
vers le château...
Elle demande à voir le prince. Mais il est
parti en province rendre visite
à sa cousine, la délicieuse Clémentine.
Elle revient une autre fois.
Mais le prince est encore parti
patiner avec une amie.
Et quand elle revient encore,
on lui dit que le prince dort
et ne veut pas être dérangé.

Alors, d'un pas très décidé,
la bergère va dans la cour et
crie en direction de la tour :
— Si on allait danser un peu,
espèce de grand paresseux ?
Le prince, vraiment fou de joie,
descend les marches trois par trois.
Ensemble, ils grimpent dans un camion
qui s'en revient des moissons.

Et on dit qu'à leur mariage,
tout le monde s'est bien amusé
et qu'ils ne se sont plus disputés !

Claude Clément
Le Prince et la Bergère,
Perlin, Fleurus presse.

Conseils

Le livre de vacances : un peu, beaucoup, à la folie ?

L'organisation dépendra évidemment du « planning » de vos vacances.

L'idéal est de laisser votre enfant « souffler » pendant une semaine ou deux au début de l'été, puis d'ouvrir le livre de façon régulière. « Un peu » chaque jour (1/2 h ou 3/4 h) est mille fois préférable à « beaucoup » en fin de vacances !

Ouvrir son livre de vacances, ce n'est ni une punition ni un remplissage pour les jours de mauvais temps et les moments d'ennui.

Autant que possible, soyez disponibles au moment où votre enfant se plongera dans son livre. Il aura peut-être besoin d'aide, de conseils, d'encouragements. Il aura également besoin de discuter, d'échanger ses impressions au sujet des lectures et des dossiers.

L'organisation de « Hachette vacances »

Ce livre de vacances comporte <u>6 séquences</u> de 8 pages.

<u>Chaque séquence</u> se présente de la façon suivante :

● Une page **d'ouverture** qui comprend un sommaire et des petites questions très simples : une charade ou une devinette portant sur un mot de la lecture ; une question de français ; une question de maths ; une question sur le thème des « découvertes ».

● Une double page « **lecture et exploitation** » : <u>lecture</u> à gauche, <u>exploitation et compréhension de la lecture</u> à droite. Lorsque le texte est trop long, votre enfant est invité à poursuivre sa lecture à la fin du cahier. Les mots difficiles sont expliqués sur ce mini-dictionnaire :

Les questions sur la lecture à droite permettront de vérifier que celle-ci a été bien comprise.

● Une double page « **français et maths** » : à gauche <u>français</u> (grammaire, orthographe, conjugaison...) ; à droite <u>mathématiques</u> (calcul, opérations, problèmes, géométrie). Les points importants (règles, rappels, etc.) sont notés dans la marge, en face de chaque exercice.

● Une double page « **découvertes** ». À gauche, un court texte et des photos légendées ; à droite, quelques questions permettant de vérifier si le contenu du texte et des légendes a été lu et compris, ainsi que des idées d'applications, de recherches sur le thème abordé.

● Une page « **bilan** ». Votre enfant peut s'auto-évaluer et vérifier qu'il a retenu l'essentiel de ce qui est proposé dans la séquence. Il se reporte aux corrigés pour pouvoir se noter et il révise éventuellement les notions mal comprises ou mal assimilées. Encouragez-le, ne soyez pas plus sévère que lui !

● Toutes les deux séquences se trouvent des pages récréatives baptisées « **vive les vacances** ». Votre enfant y intervient librement : il y parle de « ses » vacances, de « sa » famille, de « ses » amis. Il y découvre des jeux, y colle ses dessins ou ses souvenirs. Le livre de vacances devient alors le livre de « ses » vacances.

● À la fin du livre se situent les « **annexes** ». C'est là que votre enfant et vous trouverez la <u>suite des lectures</u>, les <u>corrigés détaillés</u>, les <u>conseils</u>, les <u>auto-dictées</u> et les <u>pages à découper</u>.

Conseils

Détail des activités

Lecture et exploitation

Les textes proposés dans ce livre de vacances sont complets (il ne s'agit jamais d'extraits) et variés, allant du conte à l'intrigue policière en passant par la poésie et le théâtre.

Actuellement, on parle beaucoup des problèmes de lecture. Comment donner à votre enfant le goût de la lecture? D'abord en lui proposant des histoires qui lui plaisent, des textes pas trop longs dont la construction et le vocabulaire ne sont pas trop difficiles. C'est le cas dans *Hachette Vacances*.

Il y a également quelques « trucs » que votre entourage et vous pouvez utiliser.

● Lisez avec votre enfant, à tour de rôle et à voix haute, une phrase sur deux (ou un paragraphe sur deux).
● Prenez le temps de discuter de l'histoire avec lui, demandez-lui si elle lui plaît, en lui posant des questions du type : « Raconte-la-moi. Qu'est-ce qui t'a plu le plus ? Quel est le personnage que tu aimes bien ? Celui que tu n'aimes pas ? Essaie de me dire pourquoi. Si tu étais l'un des personnages de cette histoire, lequel serais-tu ? Quel est le passage le plus drôle ? le passage le plus surprenant ? etc. »
● Laissez-le aussi vous interroger. (Par contre, s'il a simplement envie de lire sans discuter, n'insistez pas.)

Prolongement des lectures

Si l'un des thèmes de lecture plaît particulièrement à votre enfant, essayez de lui procurer d'autres livres qui parlent du même sujet, d'autres histoires écrites dans le même style, par le même auteur...

Et n'oubliez pas que « à adulte qui aime lire, enfant-lecteur ! ».

Français et mathématiques

Il ne s'agit pas de réviser tout le programme de l'année, mais de se rappeler les points importants, vérifier s'ils ont été vraiment compris, faire quelques exercices pour les appliquer.

Rien n'empêche, en cas de difficulté dans un exercice, de le refaire en remplaçant les mots ou les chiffres par d'autres, pour s'entraîner.

Avant de faire les exercices, commencez par revoir les notions importantes qui sont résumées dans la marge. Lorsque votre enfant bute sur un exercice, essayez de lui faire retrouver les mots et les techniques qu'il utilise habituellement en classe.

Attention! Le vocabulaire et les démarches ont changé depuis l'époque où vous étiez sur les bancs de l'école. Il convient d'aider votre enfant en employant les mots qu'il connaît.

Au CE1, certaines règles s'appliquent encore de façon intuitive, d'où l'importance des exercices pour s'entraîner.

En français, comme en maths, il faut beaucoup commenter, « oraliser ». Par exemple, quand on cherche le groupe sujet dans une phrase, on pose la question « qui? » ou « qui est-ce qui...? ».

Demandez à votre enfant de se poser les questions à lui-même : il trouvera peut-être plus facilement la réponse et vous pourrez vérifier qu'il pose les bonnes questions. Votre enfant doit également bien regarder les exemples et commenter les règles ou les notions que ces exemples illustrent (par exemple : les déterminants, les marques du pluriel, etc.).

Consolider les bases de l'année précédente est mille fois préférable à « prendre de l'avance » pour l'année suivante. Aidez votre enfant sans lui en demander « toujours plus ». Utilisez des exemples concrets, de la vie de tous les jours. Reprenez éventuellement le même exercice quelques jours plus tard.

 Français

En ce qui concerne les règles grammaticales, les conjugaisons..., essayez de trouver des astuces pour les rendre plus amusantes à apprendre, des comptines, des phrases drôles, des petites histoires, devinettes ou jeux, pour mémoriser des exceptions ou des points importants.

Les conjugaisons
Multipliez les exemples vivants.

Ainsi, pour le futur, demandez à votre enfant de l'employer avec des verbes dont il se sert pendant les vacances : « Demain, je me baignerai, nous ferons un pique-nique, » etc.

Apportez des objets pour illustrer et mimer des verbes à conjuguer : une salière, un verre d'eau, avant de conjuguer « saler » ou « boire ». Essayez, et vous verrez : grâce à la salière, le verbe « saler » aura un autre goût ! Mais attention (et ceci est valable pour tous les exercices !), ne répétez pas les fautes de votre enfant, en expliquant « on ne dit pas ceci, mais on dit cela ». Préférez toujours la formule affirmative « on dit cela », en donnant seulement la version correcte.

L'orthographe

Il n'y a pas que la lecture qui permette d'avoir une meilleure orthographe, l'écriture également. En écrivant, en se faisant corriger ses erreurs, puis en réécrivant correctement, on peut faire de nombreux progrès. La dictée est un exercice utile à condition de ne pas être présentée comme un saut d'obstacles. Elle doit être courte et préparée.

N'oubliez pas les auto-dictées qui se trouvent à la fin du livre. Les auto-dictées portent toujours sur une phrase du texte : il s'agit donc de dictées préparées. Elles permettent de mémoriser des mots et des expressions. Quand il a fini la page « j'ouvre l'œil », votre enfant doit faire son auto-dictée. Il apprend par cœur la phrase (ou le paragraphe) indiquée et il l'écrit au crayon à papier. Il en vérifie l'orthographe, gomme le tout s'il y a des erreurs et recommence une deuxième fois. Il faut qu'il puisse être satisfait d'avoir réussi son auto-dictée. Faites-lui comptabiliser les mots bien écrits plutôt que les mots mal orthographiés !

Mathématiques

Les « maths », on s'en sert chaque jour. On fait des opérations (est-ce que j'aurai assez d'argent pour acheter ça ?), on raisonne... Votre enfant doit être conscient qu'il fait des « maths » sans s'en rendre compte.

Il est très important de mettre les notions abordées « en pratique » : par exemple pour les mesures de longueur, prenez un mètre ou fabriquez une toise avec votre enfant ; pour les masses, les prix, faites les courses ensemble ou jouez « à la marchande ». Certains calculs se font mentalement, d'autres par écrit (quand on joue aux cartes ou aux petits chevaux, on ne prend pas un crayon et une feuille de papier !).

Les opérations

Il est très important que votre enfant les maîtrise bien. Après avoir fait les exercices proposés, il peut en inventer sur le même modèle. S'il peut disposer d'une calculette, laissez-le vérifier lui-même ses opérations. Habituez-le à évaluer mentalement le résultat, à réfléchir avant de répondre n'importe quoi.

Additions
Pensez à réviser ensemble les tables.

Soustractions
Pour calculer une différence, on peut utiliser une opération à trous (105 + . = 120). La soustraction à retenue peut se faire de haut en bas ou de bas en haut, selon la technique apprise par votre enfant. On peut vérifier le résultat d'une soustraction en faisant une addition.

Multiplications
Et les tables de multiplication ? Une épreuve pour certains ! Au CE1, on doit savoir les tables × 1, × 2, × 3, × 4, × 5. Essayer de faire entrer de force dans le crâne de votre enfant ces « terribles » tables, cela ne sert à rien. Il faut trouver une solution concrète et ludique, par exemple faire un loto des tables de multiplication.

Pour beaucoup d'exercices, votre enfant utilisera la table de Pythagore. Elle a l'avantage de bien visualiser les correspondances du type $8 \times 4 = 4 \times 8 = 32$. S'il ne la connaît pas bien, demandez-lui de s'y reporter :

×	0	1	2	3	4	5	6	7	8	9	10
0	0	0	0	0	0	0	0	0	0	0	0
1	0	1	2	3	4	5	6	7	8	9	10
2	0	2	4	6	8	10	12	14	16	18	20
3	0	3	6	9	12	15	18	21	24	27	30
4	0	4	8	12	16	20	24	28	32	36	40
5	0	5	10	15	20	25	30	35	40	45	50
6	0	6	12	18	24	30	36	42	48	54	60
7	0	7	14	21	28	35	42	49	56	63	70
8	0	8	16	24	32	40	48	56	64	72	80
9	0	9	18	27	36	45	54	63	72	81	90
10	0	10	20	30	40	50	60	70	80	90	100

Problèmes

Plusieurs points sont importants. Il faut tout d'abord bien comprendre l'énoncé (demandez à votre enfant de le lire, puis de vous expliquer ce qu'il vient de lire). Il faut ensuite raisonner de façon juste (ce n'est pas l'opération qui est primordiale, mais le raisonnement que suit l'enfant pour arriver à la réponse finale). Il faut enfin repérer les données chiffrées, calculer correctement et mettre au propre la solution.

Découvertes

Les dossiers « découvertes » satisfont ou provoquent la curiosité de votre enfant. Quel que soit le sujet, il faudrait qu'il ait envie d'en savoir plus. Certains dossiers invitent plus que d'autres à un prolongement : une visite, une promenade, une activité (bricolage, cuisine) à faire avec votre enfant.

D'autres thèmes vont le faire réfléchir : dès maintenant, il doit savoir que l'homme devrait respecter son environnement, protéger nature et vie animale. S'il a un animal ou s'il s'occupe de plantations, il en sera d'autant plus conscient.

Certains enfants (même parmi les plus grands) ont beaucoup de mal à se repérer dans le temps. Ensemble, construisez une frise chronologique avec une bande de papier pliée en accordéon (pliures de 10 ans en 10 ans). L'enfant pourra écrire, dessiner et coller des documents sur cette frise. (La frise peut porter sur sa période historique préférée.)

Pour faire l'exercice ou les exercices proposés sur la page de droite, il faut avoir lu (seul ou à deux) le texte et les légendes. Pas besoin de les lire d'une seule traite. On peut sauter d'une légende à l'autre, dans l'ordre que l'on veut.

Bilan

S'évaluer est indispensable pour progresser. En même temps, un bilan ne doit jamais être une sanction. Votre enfant répond rapidement aux questions de chaque bilan. Il se note, en se reportant aux corrigés (quand le raisonnement est important, il est détaillé).

Ensemble, vous commentez les réponses en insistant d'abord sur les bonnes (c'est très bien !). Puis, sans dramatiser (là, ça ne va pas), vous analysez les questions où votre enfant a échoué. En maths et français, il peut revoir les notions expliquées dans la marge. Pour la lecture et le documentaire, il peut se demander s'il n'a pas survolé un peu rapidement le texte. S'il s'y reporte, il trouvera rapidement la solution. Les questions posées ont été choisies suffisamment simples pour que le bilan d'une séquence donne presque toujours à l'enfant l'envie de poursuivre et d'aller vers la séquence survivante.

Vive les vacances !

Des thèmes libres à faire au rythme de chacun en fonction des goûts et pourquoi pas des humeurs !

Voici en vrac quelques thèmes :

● lieu de vacances (aspect géographique) ;
● environnement (qu'y a-t-il dans cette région ? Monuments, curiosités, etc.) ;
● histoire de la ville ou de la région ;
● spécialités : métiers, recettes particulières, costumes régionaux, fêtes et coutumes, chansons...
● personnalités ayant vécu ou vivant dans cette région.

Cherchez ensemble des cartes postales, des flammes (sur les enveloppes), de vieilles photos. Interrogez des personnes vivant toute l'année dans la région.

« Vive les vacances » signifiera alors pour vous et votre enfant « vacances vivantes » où lire, revoir, découvrir se conjuguent à tous les temps.

Corrigés

Séquence 1

● Ouverture
page 5

- Charade : lait-col = l'école (qui est fermée en ce moment!)
- Il existe plusieurs sortes de points : le point (.) - le point d'interrogation (?) - le point d'exclamation (!). Mais aussi le point-virgule (;) - les deux points (:) - les points de suspension (...).
- 5 + 4 = 9   7 + 7 = 14
- L'arbre est la plus grande plante à fleurs.

● J'ouvre l'œil
page 7

Le coin des devinettes : Dans ce bouquet se cachent deux tulipes.

Le jeu des erreurs : « Occupe-toi de tes oignons ! »

La bonne phrase : Le maître m'a dit de soigner mon écriture.

Mots croisés :

M	O	U	C	H	E					
É							F	I	L	L	E
D							U			
E							S			
C	A	M	B	R	I	O	L	E	U	R
I							E			
N										

● Français
page 8

① Deux tulipes bavardent. As-tu passé un bon hiver ? demande la tulipe jaune. Il n'y a pas eu de neige. C'est dommage ! répond l'autre. Soudain, une jacinthe se mêle à leur conversation. Bonjour mesdames ! Comment allez-vous ? Sans neige, la terre était très dure. Je ne pouvais pas sortir.

② B. La grenouille ne dit pas comment.
C. La tulipe ne pousse pas en hiver.
D. La fenêtre n'est pas ouverte.

③ *Par exemple :*
Est-ce qu'une grenouille est toujours verte ?
Est-ce qu'une grenouille aime l'eau ?

● Maths
page 9

① 30 + 25 + 50 = 105
Ludovic a reçu 105 F.

48 + 45 = 93
Oui, il peut acheter le robot et le ballon.

② 146 + 68 + 27 = 241
529 + 287 = 816
357 + 248 = 605

③

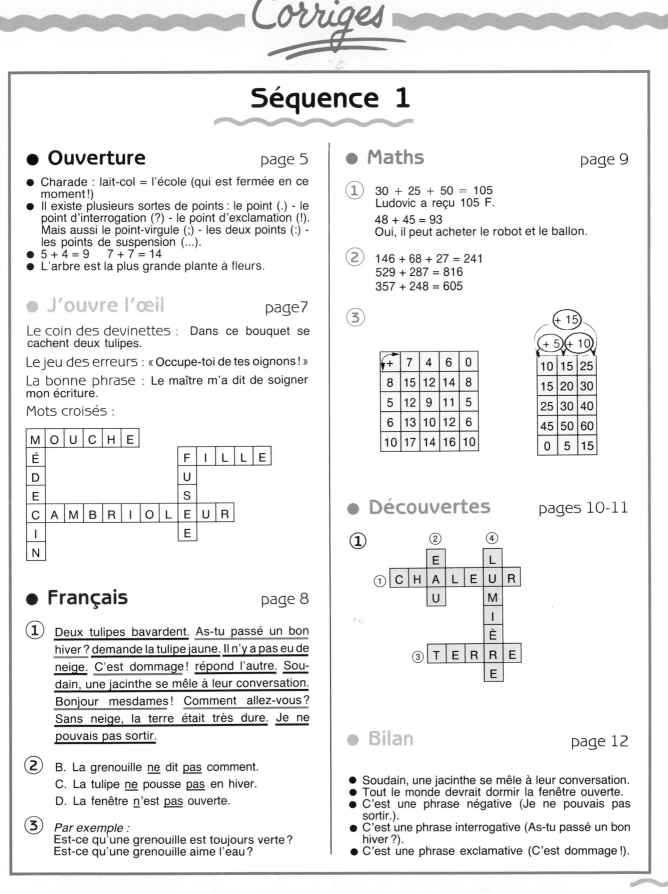

+	7	4	6	0
8	15	12	14	8
5	12	9	11	5
6	13	10	12	6
10	17	14	16	10

(+ 15)
(+ 5) (+ 10)

10	15	25
15	20	30
25	30	40
45	50	60
0	5	15

● Découvertes
pages 10-11

①

```
        ②        ④
        E         L
①  C  H  A  L  E  U  R
        U         M
                  I
                  È
③      T  E  R  R  E
                  E
```

● Bilan
page 12

- Soudain, une jacinthe se mêle à leur conversation.
- Tout le monde devrait dormir la fenêtre ouverte.
- C'est une phrase négative (Je ne pouvais pas sortir.).
- C'est une phrase interrogative (As-tu passé un bon hiver ?).
- C'est une phrase exclamative (C'est dommage !).

- Pour faire une addition, on utilise le signe +.
- C'est une addition qui sert à calculer une somme.
- 158 + 36 + 7 = 201.

- Pour se développer une plante a besoin de chaleur, d'eau, de terre, de lumière.
- La lentille d'eau est la plus petite plante à fleurs.

Séquence 2

● Ouverture
page 13

- Devinette : une fée que les enfants n'aiment pas... C'est la fessée !
- Mime, par exemple, les verbes « manger » et « jeter ».
- 6 + 6 + 6 + 6 + 6 + 6 : on peut faire une addition ou une multiplication (6 × 6).

● J'ouvre l'œil
page 15

Le coin des devinettes : C'est une tête de sorcière !

Le jeu des erreurs : « Descends de ton arbre et donne-moi une poire entière ! »

La bonne phrase : Mais Petit-Pierre sait bien que la sorcière veut le croquer tout cru. Alors il détache une poire et il la lui jette sur la tête.

Mots croisés :

D			É	P	A	U	L	E
E				O				
N		S		I				
T		A		R				
S	O	R	C	I	E	R	E	

● Français
page 16

①
- Mon petit frère <u>fait</u> des bêtises.
- Ils <u>vont</u> à l'école.
- Nous <u>venons</u> avec toi au cinéma.
- Tu <u>prends</u> ton goûter.
- Elle <u>dit</u> merci.

② B. Le petit garçon saute de l'arbre.
C. Petit-Pierre grimpe à l'arbre.
D. La sorcière ouvre son sac.

③ Je fais - J'ai - Je marche - Je dis - Je suis. Qui suis-je ? Un clown.

● Maths
page 17

①
- 40 + 40 + 40 = 120
  40 × 3 = 120
  Julie a reçu 120 F.
- 27 × 4 = 108
  Oui, elle peut acheter les 4 livres.

② 208 × 4 = 832
478 × 2 = 956
136 × 6 = 816

③

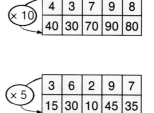

● Découvertes
pages 18-19

②

③ *Autrefois :* – la chaudière
– la lessive à la main au lavoir
– le train à vapeur.

Corrigés

Maintenant : – le radiateur électrique
– la télévision
– le TGV
– le réfrigérateur
– la machine à laver le linge

● Bilan   page 20

- Petit-Pierre est perché au sommet du poirier.
- Petit-Pierre n'obéit pas aussitôt.
  Il ne sait pas ce qu'il doit faire.
- Petit-Pierre détache une poire : le verbe indique une action (ou ce que fait Petit-Pierre).

- Bistokère est une affreuse sorcière : le verbe indique comment est la sorcière.
- La sorcière a un grand sac : le verbe indique ce qu'elle a.

- Une multiplication sert à calculer un produit.
- $5 \times 9 = 45$
- $164 \times 5 = 820$

- La télévision n'existait probablement pas.
- Les hommes ont marché sur la Lune pour la première fois en 1969.

Séquence 3

● Ouverture   page 23

- Charade : faon - phare = fanfare
- Le col (d'un vêtement) est un nom masculin.
  La colle est un nom féminin.
- Pour faire une soustraction, on utilise le signe – (moins).
- Le Mont-Blanc est la plus haute montagne d'Europe.

● J'ouvre l'œil   page 25

Le coin des devinettes : Le lapin joue du tambourin. L'alligator (crocodile) souffle dans un cor. Le panda joue du gros tuba. Le caméléon joue de l'accordéon.

Le jeu des erreurs : « Ma longue cape est en feuillage ».

La bonne phrase : Car, sans elle, en effet, les autres fées seraient moins belles !

Mots croisés :

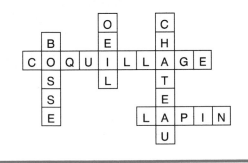

● Français   page 26

① - Une <u>souricette</u> joue de la <u>trompette</u>.
- L'<u>alligator</u> souffle dans un <u>cor</u>.
- Avec le <u>feuillage</u>, tu fais une <u>cape</u>.
- Pour la <u>maison</u>, tu prends du <u>carton</u>.

② Masculin : (le chien, le chat), le coq, le canard, le lion.
Féminin : (la chienne), la chatte, la poule, la cane, la lionne.

③ Masculin : Tu es vieux. Tu es rusé. Tu es ridicule.
Féminin : Tu es laide. Tu es vieille. Tu es rusée. Tu es ridicule.

● Maths   page 27

① - C'est Julie qui a le plus d'argent.
- $120 - 105 = 15$ ou $105 + 15 = 120$
  La différence est de 15 F.
- $105 - 93 = 12$
  Il lui reste 12 F.
- $120 - 108 = 12$
  Il lui reste 12 F.
- Julie et Ludovic ont chacun 12 F.

② $62 - 36 = 26$
$248 - 127 = 121$
$742 - 428 = 314$

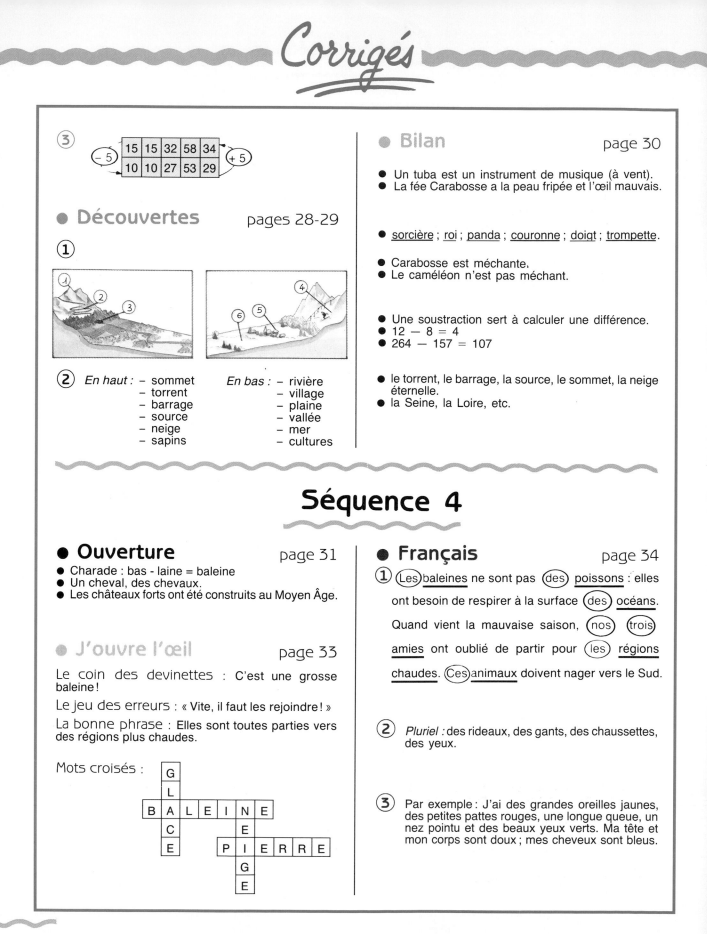

③

−5	15	15	32	58	34	+5
	10	10	27	53	29	

● Découvertes   pages 28-29

①

② *En haut :* – sommet
– torrent
– barrage
– source
– neige
– sapins

En bas : – rivière
– village
– plaine
– vallée
– mer
– cultures

● Bilan   page 30

● Un tuba est un instrument de musique (à vent).
● La fée Carabosse a la peau fripée et l'œil mauvais.

● <u>sorcière</u> ; <u>roi</u> ; <u>panda</u> ; <u>couronne</u> ; <u>doigt</u> ; <u>trompette</u>.

● Carabosse est méchante.
● Le caméléon n'est pas méchant.

● Une soustraction sert à calculer une différence.
● $12 - 8 = 4$
● $264 - 157 = 107$

● le torrent, le barrage, la source, le sommet, la neige éternelle.
● la Seine, la Loire, etc.

Séquence 4

● Ouverture   page 31
● Charade : bas - laine = baleine
● Un cheval, des chevaux.
● Les châteaux forts ont été construits au Moyen Âge.

● J'ouvre l'œil   page 33

Le coin des devinettes : C'est une grosse baleine !

Le jeu des erreurs : « Vite, il faut les rejoindre ! »

La bonne phrase : Elles sont toutes parties vers des régions plus chaudes.

Mots croisés :

```
      G
      L
B A L E I N E
      C       E
      E   P I E R R E
          G
          E
```

● Français   page 34

① (Les) baleines ne sont pas (des) poissons : elles ont besoin de respirer à la surface (des) océans. Quand vient la mauvaise saison, (nos) (trois) amies ont oublié de partir pour (les) régions chaudes. (Ces) animaux doivent nager vers le Sud.

② *Pluriel :* des rideaux, des gants, des chaussettes, des yeux.

③ Par exemple : J'ai des grandes oreilles jaunes, des petites pattes rouges, une longue queue, un nez pointu et des beaux yeux verts. Ma tête et mon corps sont doux ; mes cheveux sont bleus.

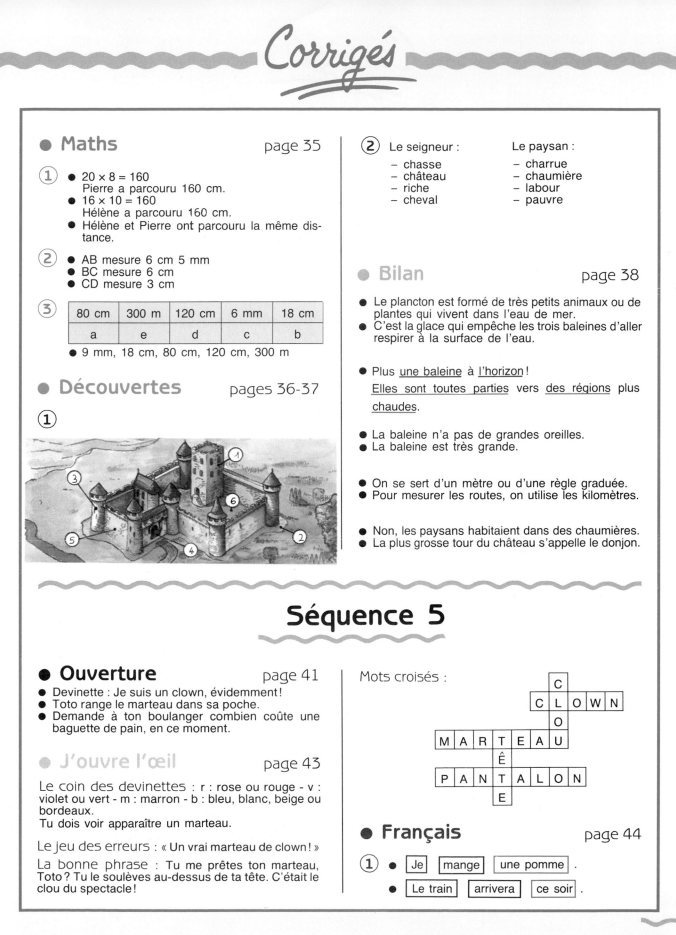

Corrigés

● Maths page 35

① ● 20 × 8 = 160
Pierre a parcouru 160 cm.
● 16 × 10 = 160
Hélène a parcouru 160 cm.
● Hélène et Pierre ont parcouru la même distance.

② ● AB mesure 6 cm 5 mm
● BC mesure 6 cm
● CD mesure 3 cm

③

80 cm	300 m	120 cm	6 mm	18 cm
a	e	d	c	b

● 9 mm, 18 cm, 80 cm, 120 cm, 300 m

● Découvertes pages 36-37

①

② Le seigneur : Le paysan :

– chasse – charrue
– château – chaumière
– riche – labour
– cheval – pauvre

● Bilan page 38

● Le plancton est formé de très petits animaux ou de plantes qui vivent dans l'eau de mer.
● C'est la glace qui empêche les trois baleines d'aller respirer à la surface de l'eau.

● Plus <u>une baleine</u> à <u>l'horizon</u> !

<u>Elles sont toutes parties</u> vers <u>des régions</u> plus <u>chaudes</u>.

● La baleine n'a pas de grandes oreilles.
● La baleine est très grande.

● On se sert d'un mètre ou d'une règle graduée.
● Pour mesurer les routes, on utilise les kilomètres.

● Non, les paysans habitaient dans des chaumières.
● La plus grosse tour du château s'appelle le donjon.

Séquence 5

● Ouverture page 41
● Devinette : Je suis un clown, évidemment !
● Toto range le marteau dans sa poche.
● Demande à ton boulanger combien coûte une baguette de pain, en ce moment.

● J'ouvre l'œil page 43

Le coin des devinettes : r : rose ou rouge - v : violet ou vert - m : marron - b : bleu, blanc, beige ou bordeaux.
Tu dois voir apparaître un marteau.

Le jeu des erreurs : « Un vrai marteau de clown ! »

La bonne phrase : Tu me prêtes ton marteau, Toto ? Tu le soulèves au-dessus de ta tête. C'était le clou du spectacle !

Mots croisés :

```
                    C
            C L O W N
                    O
    M A R T E A U
            Ê
    P A N T A L O N
            E
```

● Français page 44

① ● [Je] [mange] [une pomme] .
● [Le train] [arrivera] [ce soir] .

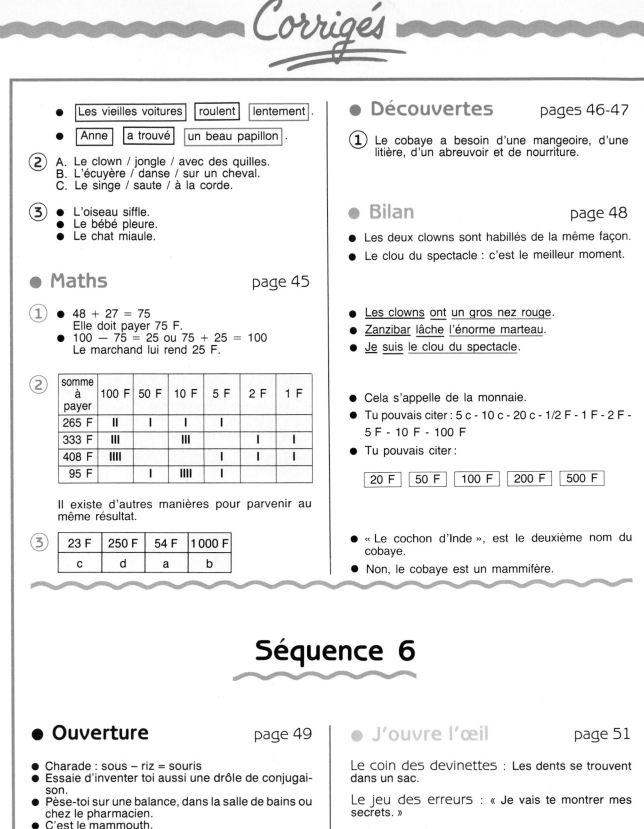

- Les vieilles voitures | roulent | lentement .
- Anne | a trouvé | un beau papillon .

(2) A. Le clown / jongle / avec des quilles.
B. L'écuyère / danse / sur un cheval.
C. Le singe / saute / à la corde.

(3)
- L'oiseau siffle.
- Le bébé pleure.
- Le chat miaule.

● Maths   page 45

(1)
- 48 + 27 = 75
  Elle doit payer 75 F.
- 100 − 75 = 25 ou 75 + 25 = 100
  Le marchand lui rend 25 F.

(2)

somme à payer	100 F	50 F	10 F	5 F	2 F	1 F
265 F	II	I	I	I		
333 F	III		III		I	I
408 F	IIII			I	I	I
95 F		I	IIII	I		

Il existe d'autres manières pour parvenir au même résultat.

(3)

23 F	250 F	54 F	1 000 F
c	d	a	b

● Découvertes   pages 46-47

(1) Le cobaye a besoin d'une mangeoire, d'une litière, d'un abreuvoir et de nourriture.

● Bilan   page 48

- Les deux clowns sont habillés de la même façon.
- Le clou du spectacle : c'est le meilleur moment.

- Les clowns ont un gros nez rouge.
- Zanzibar lâche l'énorme marteau.
- Je suis le clou du spectacle.

- Cela s'appelle de la monnaie.
- Tu pouvais citer : 5 c - 10 c - 20 c - 1/2 F - 1 F - 2 F - 5 F - 10 F - 100 F
- Tu pouvais citer :

  20 F   50 F   100 F   200 F   500 F

- « Le cochon d'Inde », est le deuxième nom du cobaye.
- Non, le cobaye est un mammifère.

Séquence 6

● Ouverture   page 49

- Charade : sous − riz = souris
- Essaie d'inventer toi aussi une drôle de conjugaison.
- Pèse-toi sur une balance, dans la salle de bains ou chez le pharmacien.
- C'est le mammouth.

● J'ouvre l'œil   page 51

Le coin des devinettes : Les dents se trouvent dans un sac.

Le jeu des erreurs : « Je vais te montrer mes secrets. »

La bonne phrase : Demain, je perdrai peut-être toutes les dents qui me restent... Puis sans bruit, je te suivrai sur la pointe des pieds.

Corrigés

Mots croisés :

		P		G			T			
		O		R						
	M	O	U	S	T	A	C	H	E	
		M		Y			R			
		E		È			T			
				R			I			
				E			N			
					D	E	N	T		

● Français   page 52

① ● Tu <u>travailles</u> pendant les vacances. (travailler)
  ● J'<u>ai</u> un chat blanc. (avoir)
  ● Les enfants <u>iront</u> à la piscine. (aller)
  ● Nous <u>sommes</u> à la maison. (être)

② A. Pour retrouver son chemin, le Petit Poucet sème des cailloux.
   B. Quand minuit a sonné, Cendrillon a quitté le bal.
   C. La sorcière lui a donné une pomme, Blanche-Neige l'a mangée.

③ ● Ils visitent le palais.
  ● Il est tout blanc.
  ● Ils portent les clefs.

● Maths   page 53

① ● (500 + 100 + 50 = 650) Elles pèsent 650 g.
  ● Elle peut utiliser les masses suivantes :
    500 g + 100 g + 20 g + 10 g.
    Mais il existe d'autres solutions.
  ● Elle doit enlever quelques fraises (20 g) ou elle doit ajouter du sucre (20 g).

② 950 g = 500 g + 200 g + 100 g + 100 g + 50 g
   650 g = 500 g + 100 g + 50 g
    95 g = 50 g + 20 g + 20 g + 5 g
   135 g = 100 g + 20 g + 10 g + 5 g
   Il existe d'autres manières pour parvenir au même résultat.

③

250 g	30 kg	1 kg
c	a	b

● Découvertes   pages 54-55

①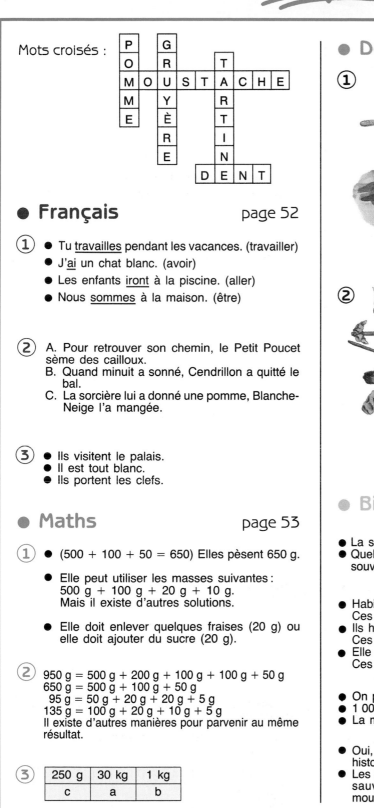

②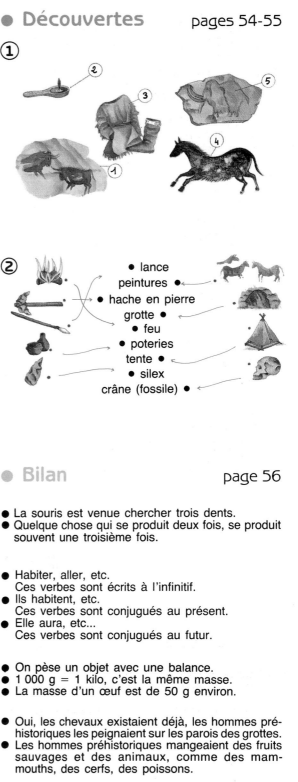
  ● lance
  peintures ●
  ● hache en pierre
  grotte ●
  ● feu
  ● poteries
  tente ●
  ● silex
  crâne (fossile) ●

● Bilan   page 56

● La souris est venue chercher trois dents.
● Quelque chose qui se produit deux fois, se produit souvent une troisième fois.

● Habiter, aller, etc.
  Ces verbes sont écrits à l'infinitif.
● Ils habitent, etc.
  Ces verbes sont conjugués au présent.
● Elle aura, etc...
  Ces verbes sont conjugués au futur.

● On pèse un objet avec une balance.
● 1 000 g = 1 kilo, c'est la même masse.
● La masse d'un œuf est de 50 g environ.

● Oui, les chevaux existaient déjà, les hommes préhistoriques les peignaient sur les parois des grottes.
● Les hommes préhistoriques mangeaient des fruits sauvages et des animaux, comme des mammouths, des cerfs, des poissons.

● **Lecture 1**   *Apprends par cœur l'histoire drôle que tu préfères, puis écris-la sans modèle et sans faute.*

● **Lecture 2**   *Apprends par cœur les deux premières phrases de l'histoire, puis écris-les sans modèle et sans faute.*

● **Lecture 3**   *Apprends par cœur la première strophe de* **Carabosse,** *puis écris-la sans modèle et sans faute.*

● **Lecture 4**   *Apprends par cœur la dernière phrase de l'histoire (depuis « Au-dessus de leurs crânes »), puis écris-la sans modèle et sans faute.*

● **Lecture 5**   *Apprends par cœur les trois premières phrases du sketch (depuis « Deux clowns » jusqu'à « la poche de son pantalon »), puis écris-les sans modèle et sans faute.*

● **Lecture 6**   *Apprends par cœur ce que dit la souris (dans la bulle), puis écris-le sans modèle et sans faute.*

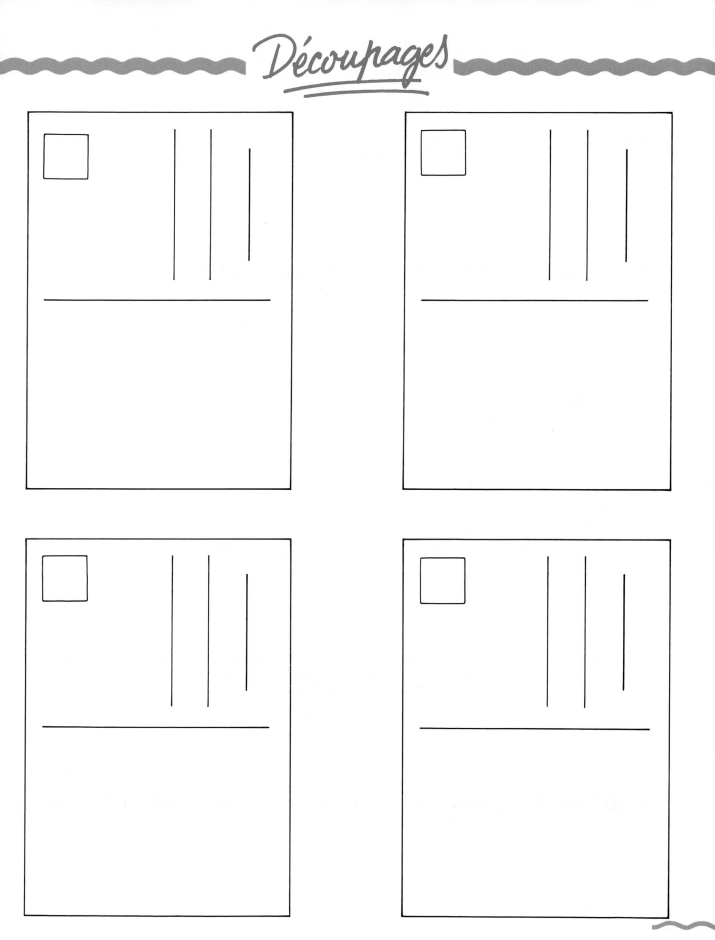

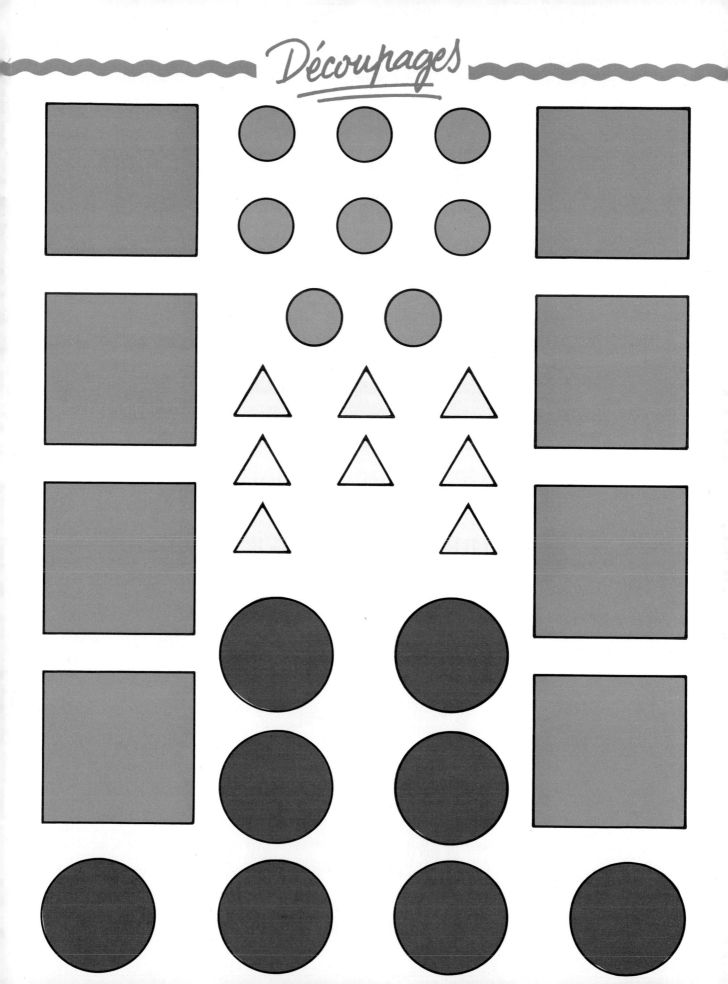